フラクタルの森
玄明 陰陽学

玄明
GENMEI

幻冬舎 MC

フラクタルの森　玄明　陰陽学

はじめに

まず、この本を書こうとした理由を書いておきます。

人は、何らかの喜び、何らかの成果、幸福を求めて生きていますが、その幸福を求めているつもりが、逆のものをつかんでしまう事が多々有ります。

その理由は、何だろうかと考えると、目の前に有る表面的なものだけ見て考え行動してしまうために起きることのようです。

「**大切なことは、目に見えない**」ということが言われます。

目に見えにくいもの、その大切なモノを見過ごしていては、本当の幸福、本物の喜びを手に入れることはできません。

このことは、私自身もここまで生きてきて強く感じることですが、多くの人が共通して経験されていることではないでしょうか。

しかし、多くは、その大切なことを発見することなく人生を終わることが多いのではないだろうか。昨今の国際情勢とか、政治経済を見ても、まさにその見えにくいものを無視しているために困った状況に落ち込んでいるようです。

個人レベルでも、目に見えやすいものばかりを見て、見えにくいものをつい無視してしまうために蛇行しがちです。ここで訴えたいことは、「見えにくいものを見ませんか」ということにもなるでしょう。

見えにくい大切なものは色々あります。

私は、それを陰と陽とに分けて考えています。陰とは、目に見えにくく、陽を支えているモノ。陽とは、表面に出て見えやすいモノ。陰と陽の関係を整理すると、大きくは次のようなことが言えるでしょう。

	陰　・　陽	
時間的なもの	原因　と　結果	（重なって見えにくいモノ）
空間的なもの	他者　と　自己	（離れていて見えにくいモノ）
人間的なもの	情　　と　理	（混ざって見えにくいモノ）

情とは、右脳（左目）的なモノ　　悟性・感性

理とは、左脳（右目）的なモノ　　知性・理性

これらが交互に浮かび上がり、もう一方を見えにくくします。この陰と陽を５Ｗ２Ｈという論理の中で考え、人間の左右の目（右脳と左脳）に関連させながら見ることで、物事

が立体的に見えてきます。実際の目でもそうですが、両目で立体的に見えなければ車の運転なども安全を確保するのは難しいことです。

書けば書くほど言いたいことを見えにくくするかもしれませんので詩編も添えておきます。

見えないもの

現代社会では
見えないものを無視し
目の前に見えるもの
表面的で分かりやすいものばかり見ようとする
深く見て深く考えることをしたくないようだ
深く見て　深く考えると無知を認めるしかない
自分の知性を否定されるとでも思うのだろうか
見えている範囲だけで

全てを分かっていると信じたいのだろうか

数字や表面の姿ばかりを強く見て
その価値を支えているもの
その裏にある見えにくいモノを見ようしないため
色んな価値あるモノが消えて無くなろうとしている

深く見ようとしないため
良かれと思ってなした事が逆の結果を招いている
生命、財産ばかりでなく
魂の尊厳という高貴なるモノまでも捨てようとしている

知識も経験も立場もある人たちが
間違った愚かな判断をする背景には
左脳的なものだけを鍛え　（知性、理性）
右脳的なものを忘れていること　（悟性、感性）

複眼で見ようと努力しないこと

悟性の中心にあり
思想の背景にある世界探求を怠り
目には見えない最たるもの
神の存在をも無視していることにあるようだ

陰陽の両目で見る

大切なことは見えにくい
言葉にしろ　文字にしろ　行為にしろ
見えるように大切なことを伝える手段はある
しかし、本当に大切なことは隠れていることが多い

目に見えないもの
幽霊もＵＦＯも宇宙人も
月の裏側もなかなか見えるものではないけれど
現実に見えないものに 三つ面が有るだろう

重なって見えにくい時間的なもの
原因と結果のつながりがあるのに
どうしても結果だけでしか見ない傾向がある

離れて見えにくい空間的なもの
他者と自己とのつながりがあり共に支え合っているのに
どうしても自分の立場や意見に固執する

混ざって見えにくい人間的なもの
感覚的なものと知覚的なものがある
どうしても好き嫌いや損得だけで振り回される

不思議ではあるが
常に両目で見ることを　神は求めておられるようだ

目次

第2章　5W2H

第3章　不思議な関連性

第4章 政治経済

第5章 思想宗教

第1章　大切なことは目に見えない

私の世界観

p14・15に挙げている二つの図は、「フラクタル陰陽学」の基本となるものです。

これらの図は、5W2Hの図であり、社会で起きていることを科学的、論理的に見ようと努力して、その意味するところは何かと考え整理してできたものです。

通常、会話されている部分は、ほとんどが「どのようにして」「どうなった」の所、「行い」の所が多く、論理的に考えれば行為に移る前に「なぜ」の所があります。要するに「思い」（動機）です。

意識しようがしまいが必ずあります。さらに意識していないだろうが、その人の人生観とか世界観、死生観が影響します。

私は記憶力も頭の回転力も悪いせいなのか、人の話を聞いていても理解できないことが多いため、そこで整理をしておきたいためにできたのがこれらの図です。人の話とか聞くときに、この図のどの部分なのかと思いながら聞いています。この図の長所は、その人の言動を注視していると、その思いとか世界観とか、見えにくいところが見えてくることです。

そして、この5W2Hの図を立体的に描いたものがピラミッドの図です。

このフラクタルの森の基本になる図の一つです。個人や国などの経済問題を考える時など綜合的に見るのに便利であり、ある意味、このピラミッドの集合体で世界はできているように私には見えます。それが、フラクタルというタイトルをつけている理由でもあります。

5W2Hでは、時間的に重なって見えにくいものを見ようとしています。

シンプルに言えば、環境が有り、その中で思いと行いを使って、私たちは生きている。たとえ、課題において見えている姿は違っていても、そこにある法則はほとんど同じです。課題がどれほど違ったものでも、どれほど偶然なように見えていても、科学が進歩した現在、植物や生き物だけでなく、微生物やウイルスのような生物とはいいがたいものであっても、遺伝子という設計図が有ります。この設計図ができた原因も見えないし、その奥には、もっと目には見えない理由があると思われます。

大きく見れば、基本は一緒であり、フラクタルで似ています。

理解できない部分は無限にありますが、この地球上に存在しているもの全て、同じ法則性の元に在ると感じています。

人が頭で考え言葉を発したり行動したり、このように文章を書くにしても、その背景には、今住んでいる大地を土台とし、その世界を背景にしています。通常は、問題にされる

フラクタルの森　玄明　陰陽学

どうなった どうやって	結果・**果実** 行い・手段	**行い**(陽)
なぜ なにを	思い・**種** 課題・客体	**思い**(陰)
だれか どこで いつ	人間・主体 空間 時間	**世界**

ことは少ないけれど、その人の世界観や人生観が必ず背景にあるのです。

世界といっても、その人が生活している現象として目の前に見えている世界の他に、その人の心の中の風景が有ります。要するに現象世界と心象世界の二つが有るのです。

この心象風景が、その人の言動に大きく影響しますから、その人の世界観、人生観を知るということは、とても、とても重要なことです。

政治家なども、この世界観を教えてもらえるなら、どのような政治経済を運営してくれるか見えてくる。また、逆のことも言えます。学歴とか経歴で判断しようとしても難しいですが、この世界観だけはウソをつけません。もちろん、その人の素質の差はあり、世界観、思想信条

行い・思い・世界①

行い 陽 見えやすい 左脳的要素	**どうしたい** 目標・結果	理性 A B 反省	**所得（賞賛・報酬）**	作品	利潤	幸福社会 GDP
	どうやって 手段・具体化	知性 A 知	**代金（価値を生む努力）**	作業	事業	政治経済
思い 陰 見えにくい 右脳的要素	**なぜ** 目的・設計図	感性 B 愛	**商品・サービス（お役に立つ）**	イメージ	社会貢献	経世済民
	なにを 課題・客体	悟性 O 発展	**仕事**	**陶芸**	**企業**	**政府**
世界 さらに見えにくい 前頭葉的要素	**だれが** 人間・主体	現実 事実 真実 **真理**	偶然に生まれた ←→ **神の子として創られた**			
	どこで 空間		この世だけ ←→ **霊界は有り、天国地獄も有る**			
	いつ 時間		死ねば終わり ←→ **魂は永遠に転生輪廻する**			

が同じように見えてもその中身には大きな隔たりが有ります。

　人の言葉だけを聞いていると、誰でも綺麗ごとは言います。素晴らしく良いことを口では言いますが、そこだけでは裏切られることはたくさんあります。結局は、国家や世界が素晴らしくなっていかない背景には、素晴らしくない心（思い、設計図）が背景にあるからです。素晴らしくない心象世界に素晴らしくない種がまかれているからです。思想家でも同じです。ここを明白にするということは、とても大切で親切なことではないでしょうか。

　そして、この七つの項目はとても重要であり、何か情報を得ようとすれば、必ずどこかに関連しています。入れるべき場所を間違えるとか空白のままにしていると求めているはずの成果を得られないことになります。

ここで私の世界観（宗教観）を示しておきます。それは、右側の世界です。そのように信じています。目には見えず、証明すらできない以上、信じていると言うしかありません。その反対の左側の世界だとする考えも、証明はできず信じられているにすぎないことは同じでしょう。

もし、左側の世界観を確信している無神論、唯物論の人であるなら、これを読み続けることは意味がなく苦痛かもしれません。私は、世界が混乱し間違った方向に進みつつある原因の根元が、この世界観（宗教観）に有ると思っています。

「大切なことは、目に見えない」という究極のことがここに有ると思う。

どちらも証明は不可能ですが、見えないものを無視するなら左の世界観になります。目に見えない大切なものを探して旅をするなら、どうしても、どうしても、私たちが、この世に偶然に生まれ死んでいくだけの生き物だとは思えないのです。

ただ、私は、この右側の世界を「信じている」を超えて確信しています。

その理由は、単純です。

それは、私の仕事が粘土を使って器を作っていることに有ります。

陶芸作家ということですが、言い換えると、器たちにとって、私は「創造主」です。この陶芸は、プロでなくても誰でも粘土から簡単に器を作ることができます。とても簡単です。ところが、電化製品とか車などになると、一人で全部作れる人など居ません。また、そこに入っている半導体やソフトにはさらに膨大な仕事が含まれています。現代社会で、びっくりするような、便利な製品が次々と目の前に出てくるということは、積み重ねられた知識というか、情報がそこにはたくさん有ることになります。その素材、原材料の採掘、加工から考えるなら、さらに途方もない知恵と努力が蓄積されていて、想像すらできなくなります。鉛筆一つでも無理です。そんなことを考えながら、人間のこと、植物や生物のことを考えると、さらにさらに、わからないことだらけです。

粘土の器のことを考え、人間の肉体のことを考えると、器が偶然にできることが有るわけが無いように、人間の体が偶然にできるわけはありません。

器でもできあがる過程を考えると、目には見えない世界、頭の中にイメージが有り、紙の上にスケッチすることも有れば、設計図が必ず有ります。私が作品にとっての創造主である以上、粘土の器が、誰の何の力も借りずに偶然にできたものだとは、とても言えません。人体の構造や機能、その構造の精緻さ、仕組みを見せられると比較できるようなものではありません。

全ての存在の背景には、設計図に当たるものがあります。その設計図（思い）を生み出している設計者という存在が必ず居ます。

そうです、私たち人間を作り出している創造主がいるはずです。器の創造主は自覚できますが、私たちを創っている存在は無理です。

この神でもある創造主が、目に見えない最たるものでしょう。

ただ、器の創造者である自分を考えてみても、その実態がすべて見えているとは言い難く、思いの世界がどんな世界か分かりませんが、おそらく霊的な世界が有り、陶芸家の思いが具体化されるのと似ているのではないでしょうか。

その神なる創造主の存在を認めるなら、霊的な見えない世界が有ってしかるべきだし、幽霊話や世界宗教を起こした過去の偉人たちが訴えている基本的なこと、あの世の存在も神仏なる存在も認めざるを得ないのです。作り話として、世界の宗教が、ご都合主義で作られたものでなく、現実に在る世界だから在ると言われているのでしょう。ただ、見えない世界のために、その理解を間違えたりウソで固められたりするようなことも有りますが、かといってそれを無視できるわけではありません。

更に言うならば、私たちの心か頭か分かりませんが、様々な知識が詰まり、様々な思考ができます。また、その奥には本能が有ることを疑う人は居ないでしょう。

人にも生き物にも、その基本ソフトが有り、アプリが有り、独自に創られていくファイルが有ります。そして、クラウドが有る。今、急速に進化しているＩＴの世界とどれだけ

の違いが有るのかわかりませんが、ＩＴの世界でも常にバージョンアップしているように、
私たちの魂においても同じかもしれません。

ハードとソフトの設計者

ハードにもソフトにも設計図が有る
設計図（陽）が有るということは、設計者（陰）が居るということ
プログラマーや設計者が居るということは
造ろうと思った存在が居るということ
イメージを投影した存在が居るということ

土で造られる器にも
設計図（イメージ）が有り設計者（作陶家）がいる
その器を求めてくれる人たちがいる

私たち人間や動物、植物にも

ソフト（本能）が有りハード（体）がある
それぞれにプログラマーや設計者がいるはずだ
それを欲した存在が、必ず背景にはいる

プログラムされていないことは
決して、決して、起こらない
存在すらできないことを考えると
そこに、神なる存在を感じ取らなければならないのだろう

この宇宙には様々な存在があり
イメージを投影されている神々がいる
様々な陶芸作家がいて様々な器が生み出されているように
様々な神々が存在するのだろう

しかし、この宇宙は、その渦巻き構造が示すように
全てを内包しつつ広がって、また、一つにまとまっている

おそらく、全ての存在の究極には

全存在を我が子とした主たる存在もあるのだろう
それが一体何者であるのか分からないし
その根本の光が全存在に何を願っているのか分からないけれど
ここに、今、私たちが在るということは
間違いなく何らかの願いが込められている
創造主の願いが込められている

「神は、自らに似せて人間を創られた」という言葉もある
この意味する所には
非常に重いモノが在ると想うのだが

人間とは

私たち人間の存在とは
偶然か　それとも　必然か

ダーウィンの進化論の言うように
突然変異と自然淘汰の結果
適者生存して、サルから進化したとでも言うのだろうか
それとも　創造主が在り目的をもって創られた存在であるのか

そして、その私たちが生きている時間は
瞬間なのか　それとも　永遠なのか
生まれてから死ぬまでの間しかないのか

それとも　肉体は朽ちるとも魂は不死であり
永遠に転生輪廻している存在なのか

そして、私たちが生きている空間は
有限なのか　それとも　無限なのか

目に見え科学的に証明できる世界しか存在しないのか
それとも、霊界も有り、天国地獄もあり
他の惑星人の世界もあるのだろうか

現実の中でも
人時所の違いで善悪が変わるように
その認識（世界観）の違いで世界は変わってくる

有限の世界を
瞬間ともいえる時間の中で
偶然に投げ出され
相争いながら生きているのか

それとも
無限に広がる世界の中
永遠の時間の中
魂の向上という願いを込めて創り出され
ユートピア社会の実現という使命を与えられている存在なのか

土で作られた器であっても
偶然にできるわけではない

人間という存在も偶然に生まれ
偶然に命をつなげ
生きながらえてきたわけではない

数学の答えが偶然に出るわけもなく
偶然という言葉は、因果が分からないということであり
原因と結果の流れを深く辿れば、
思いが全ての背景に在ることが推測される
神なる存在を意識せざるを得なくなる

おそらく、偶然なるものなど無く
全ては、必然ではないだろうか

地を這う生き物が
どうやれば空を飛べるようになるのか
軽い骨や羽、それを動かす胸筋だけでなく
その飛行技術まで考えるなら
果てしないチャレンジが必要となる

どう考えても鳥たちが偶然に存在できるわけが無い

　しかし、私たちの周りを鳥や昆虫たちが
自由に当たり前のように飛び回っている
　その不思議を思うことができないほど
人間は愚かな存在になってしまったのだろうか

私たち自身も想像を絶する恵みが与えられ
　生かされていることを忘れ去り
　己がまるで神にでもなったかの如く
高慢な存在となっているのではないだろうか
それほどうぬぼれた存在となっているとすれば
　その反動が来ない方が不思議だ

フラクタルの森　思考の構造

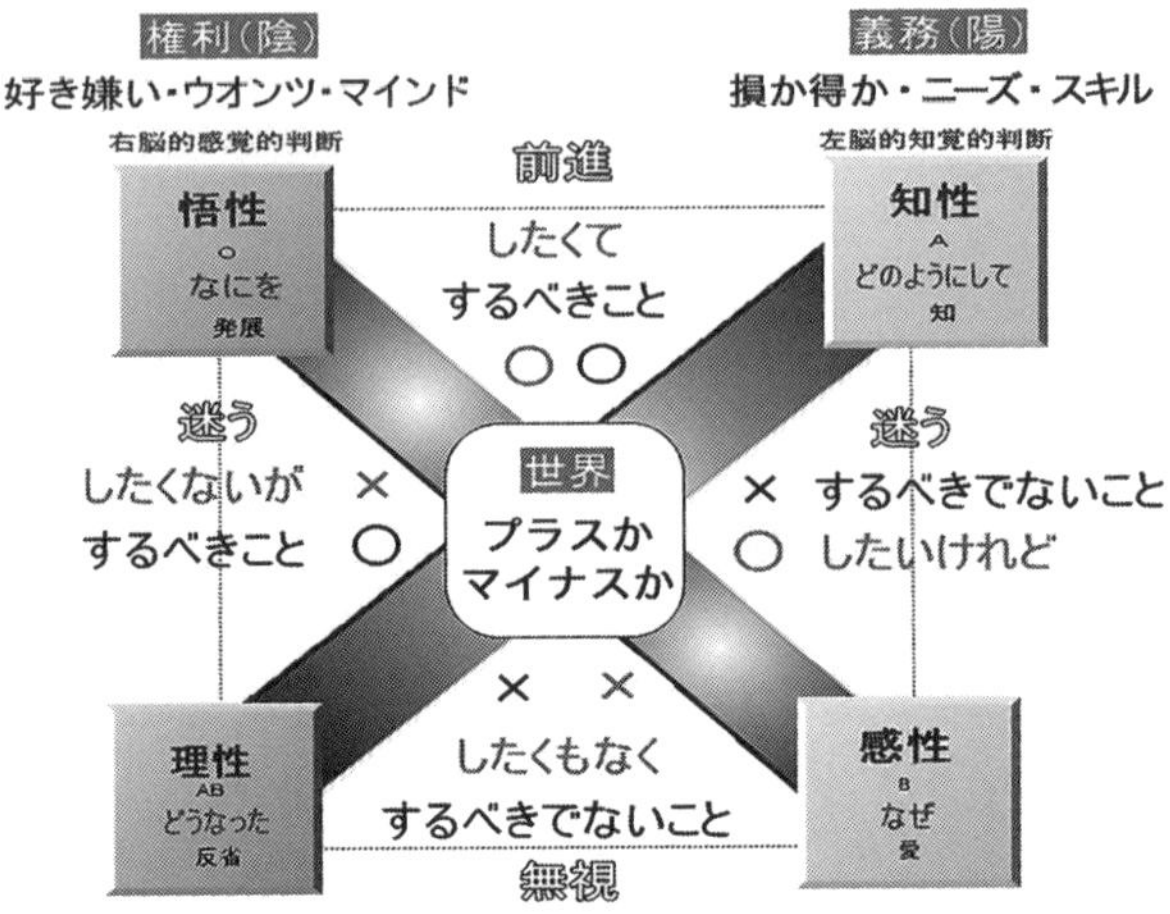

人体の統御システムの不思議

この図は、５Ｗ２Ｈの図を人間の脳の構造に重ねたものです。

結論を先に言うなら、人が判断するのは、好き嫌いと損か得かという二つの感覚。この二つを正しく見られないとするならその道の先には不幸が待っているということ。

悟性・感性の右脳的な所が、「思い」の部分、ここで好き嫌いを見ています。

知性・理性の左脳的な所が、「行い」の部分、ここで損か得かを見ています。

そのクロスする部分が前頭葉的に統合している場所に当たるのかもしれません。

悟性・感性・知性・理性は、人が持っている徳分ですが、そこに一緒にされているＯ・Ｂ・Ａ・ＡＢは血液型のことです。一緒にされている理由は、それらが関連していると考えるからです。この世の事象は、全てがこのような四つの循環で成り立っているようなのです。政治も経済も社会も人生も、この宇宙全体でさえも、この四つの循環で成り立っているように思える。基本は、陰と陽ですが、その陰と陽の中にも二つの要素が有り、この四つの世界が無限大のマークのように循環している。この形が見えない世界を含んだ全宇宙、全存在を象徴し、私たちの認識を助けているのではないだろうか。

言い方を変えるなら、この人間という姿の中に全ての秘密が有るように思えてならないのです。現代の科学では、ほとんど知り得たように思い込んでいますが、無知の知を認識する必要が有るように強く思う。

比喩で見るならば、私たち一人一人の存在とは、全宇宙を一つの人体として見た時に、その体を構成している細胞の一つ一つかもしれないのです。近しいものが相争って殺しあったりしているということは、「人を呪わば穴二つ」ということわざがあるように、墓穴を二つ用意するようなものかもしれません。体の中にガン細胞ができて体全体を蝕んで死に至らしめる形は、国家でも企業でも家庭でも有るように自己中心的で自分だけが成果を得ようとする人が暴走する姿と似ているでしょう。

要するに、全ては似ていてフラクタルなのです。

フラクタルの図形で、部分は全体と自己相似性があるといわれているのと同じです。顕微鏡で見るのと天体望遠鏡で見る世界が似ているようなものかもしれません。

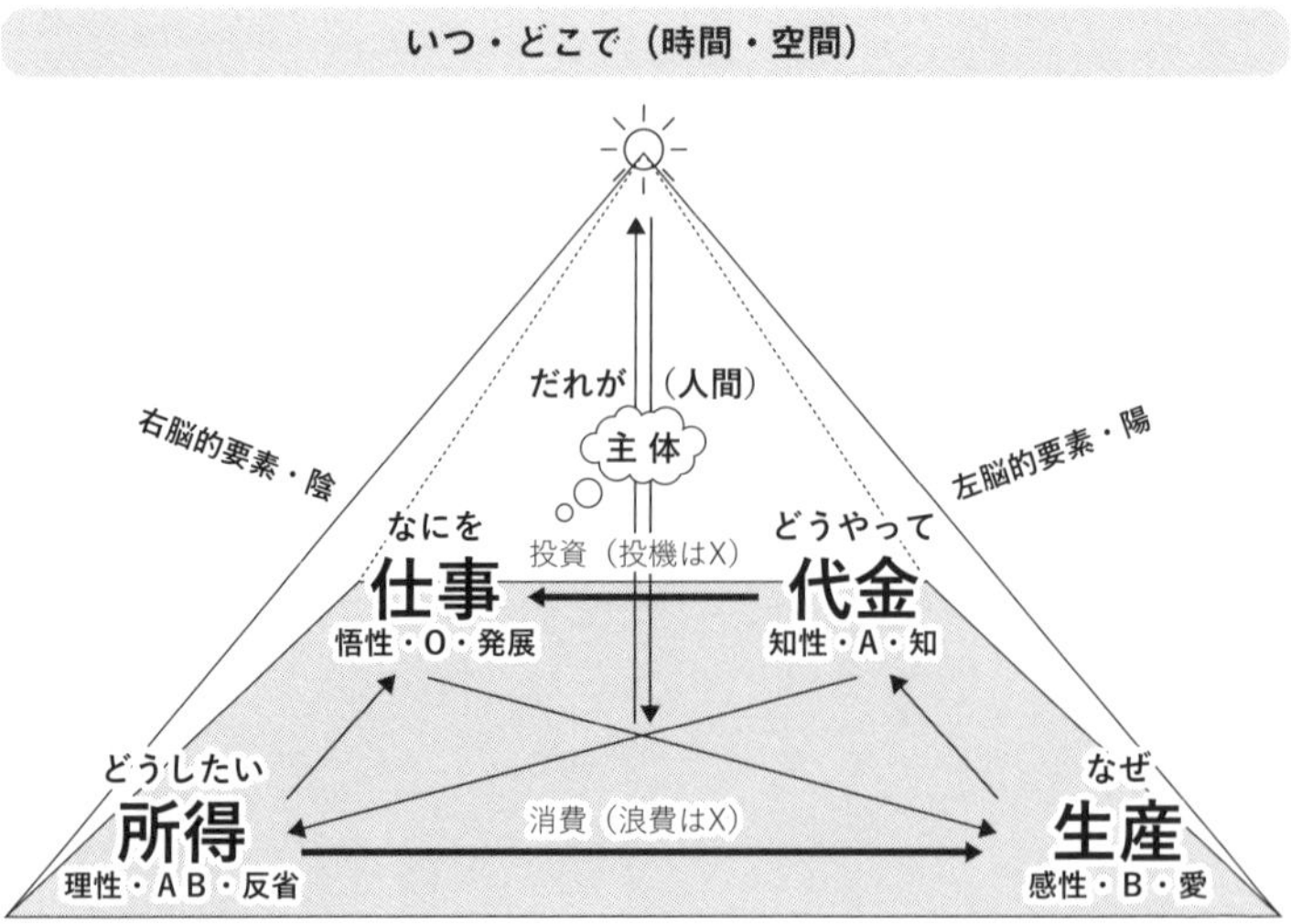

医学的にも右脳と左脳の役割分担が言われていますが、人が物事を判断し行動する仕組みも相似形として見えてくるはずです。さらに、次の図は、これをピラミッドの形に立体的にしたもの。ある意味、全てのことをこのピラミッドに入れてみることも可能であり、このピラミッドが成長して大きくなるか小さくなるか、その重なっている姿が現代社会を表しているのではないでしょうか。比喩的に言えば、この個人のピラミッドが集まり、家庭を作り、国家を作り、世界を作っている。

個人のピラミッドが朽ちていくと世界も朽ちていく。このピラミッドを大きく立派で素晴らしいものに成長させなければならないということのようです。

ここでは、とりあえず四つのコーナーがこのように書かれていますが、言葉にすれば色んな翻訳が有ります。何であれ、何らかの成果や結果を求めて私たちは活動しています。それが達成されないなら原因はどこかに必ずあります。

結局、人生とは何かといえば、仕事です。成長することも、学業も、ビジネスも、子育ても、社会生活も、政治も、経済も、全てが仕事であり、何らかの成果を求めて活動しています。それを、言葉で簡単に表現すれば次のようになるでしょう。

この宇宙（世界）の中で、人（創造主・神・偉人・凡人）が、個性を生かして何かを創造し、具体化することで価値を生み出し、喜び（結果・報酬）を求めて活動している。このようになるでしょう。

愛について

ただ、この説明で「なぜ」の所に「生産」が入ることが理解しにくいかもしれません。ここに必要なのは、結果を生み出すための原因であり動機です。この動機という思いは目に見えませんが、商品やサービスが産み出されるために必要なものです。見えにくいものが少し見えやすいものに翻訳されています。

ここには「愛」に絡むものが必ず入っています。「所得（報酬・喜び・幸福）」が動機であるように感じられるでしょうが、それこそが、大切なことを見忘れているのであり、世界が混迷を極める原因となっている結果至上主義なのです。動機には結果を生み出すための原因（設計図）が必要です。原因を創らずして、結果は望めないのです。

後で血液型の所でも説明していますが、人間の本質（本能）には、「お役に立ちたい」という思いが必ず有ります。ここには、愛、といっても「与える愛」が入っています。お役に立ちたいと思う気持ちが、商品とかサービスを創造し生産する要因になっています。その結果、現実的には価値が生まれ報酬という代金が生まれ結果につながり喜びや所得につながっていきます。この流れが見えにくく理解しにくいのです。

どうしても「思い」の中に「結果」を入れてしまう。

それが、このフラクタルの森で問題にしている「結果至上主義」につながります。

そうなると「愛」が悪い愛に代わり「奪う愛」に変化していきます。

「愛」にも良い子、悪い子、普通の子が有る。

「与える愛」と「奪う愛」と「普通の愛」です。

ここに入るべきは、結果を生み出す原因が入るべきなのです。比喩で言うならば、紙とか紙幣とかコインとかが存在するためには、表面だけでは存在できないのと一緒です。表に数字が描かれているからと言ってもそれだけでは通用しません。その数字がお金として価値あるものとして存在するためには、その数字の裏側に「信用」という、あいまいなモノが必ず存在しています。そのあいまいで、理解しにくい、目に見えないモノを多くの人が無視しがちなことが問題として有るのです。

この「生産」の文字の下に「感性・愛・B」としていますが、Bとは血液型のことです。それぞれの血液型に関連させて特徴を示しています。どういうことかと言いますと、ここはB型の持っている感性という個性が深く関係しているということ。

基本の血液型が4つに分かれ、それぞれに個性があるように、それぞれの言葉には特徴があります。ここでは、「なぜ」のところに「生産」と入れていますが、他では、商品とかサービスが入っている。ここに入るべきは「与える愛」から生まれたものです。

この場所に結果を入れて「結果至上主義」になっている場合は、愛といっても「奪う愛」になっています。愛の本質は、「与える愛」です。

この愛の問題は、循環で見ると、成長させる原因となり衰退させる原因にもなります。マイナススパイラルを起こす場合と、プラススパイラルを起こす場合とがある。この法則は、すべてのことに関わります。この愛の課題は、とことん考えない限り、人生などの課題に合格点を出すことは不可能でしょう。経済などは一番、的確に表れてきます。正直です。

与える愛の完成品が、その成果として価値である「代金」を生み出し、「所得（賞賛・

報酬・喜び）」として現れてきます。与える愛という原因が、その結果として現実化し愛の循環が起きるということのようです。ということは、思い、動機そのものの中に喜びが有り、結果を得ることの喜び以上のものが有る可能性が有ります。

その証明をしてくれている偉人たちがたくさん歴史の中には居ます。

イエス・キリストなど歴史上の偉人がおられますが、生きているときに結果は出せず、弾圧され、最後も多くの庶民から否定され処刑されました。他にも多くの偉人たちが似たような運命をたどりました。しかし、そのような人たちが歴史上の偉人として光り輝いている理由は、その「なぜ」の動機の中に本物の価値ある「愛」が有ったからです。それが時間を経て結果につながりました。

しかし、世界宗教となりましたが、その教えの翻訳を変え理解を変えて植民地を広げる道具としても利用されました。ただ、その愛の教えは多くの人に良き影響を与えてきたことは確かです。

私は、昔、最初に聖書を読んだときに「汝の敵をも愛せよ」のところで号泣してしまいました。『ベン・ハー』という映画を見た時などもイエスが出るシーンで涙があふれるのです。イエス・キリストのことをイメージすると、もう一人の自分がいるかの如く心が異常な反応をするのです。ゴルゴダの丘で起こったことを思うだけで涙が出てしまう。その理由は何故なのかと考えると、今のキリスト教を批判的に見ているし、クリスチャンではないので、潜在意識の中に過去生の記憶が有るとしか思えません。

結果がなかなか出ずに苦しいことが有ったとしても、多くの人々はその努力を止めない理由は、その結果を得る喜びも有るけれど、その思いの中に喜びの種があるからでしょう。結果的には、その仕事の評価、報酬、お金ということが有ります。本来なら、その結果を得るための原因作りが必要であり、その原因には、何らかの「お役立ち」が無ければ、感謝からの報酬も出てきません。ただ、その原因作りを無視して結果ばかりを求めるなら、その方法論には、詐欺や窃盗、強盗といった悪事も含まれてしまいます。これが、凡人が悪人になる原因です。また、天使が堕天使となって悪魔に落ちぶれる原因でもあります。結果を得るための原因作り無視して、人を踏み台にして、自分が得る結果ばかりを求めた結果が地獄に落ちることになるようです。

　要するに、この「なぜ」という動機、思いの中身が間違ったために起きている現象が社会を覆い、世界を覆い、人々を不幸へと導き、喜びに満ちた世界でなく、奈落の底に突き落とそうとしているのが、現状だと危惧しています。

　今、問題となっているＤＳ（ディープステート）やグローバリスト、ネオコンとか言われている人たちが落ち込んでいる落とし穴です。

陰とは原因であり、陽とは結果です。

見えにくいものと見えやすいものです。

大切なものは目に見えないという言葉も有りますが、まさに、見えにくいものを見ない風潮が世界中に広がっています。よって、物事が立体的に見えず、距離感も間違え、運転で言えば曲がりくねった山道で崖にぶつかったり、谷に落ちたりしています。

この陰と陽は、比喩で表現すれば、左目（右脳）と右目（左脳）です。

この右脳が感覚的で、左脳が論理的と言われていますが、５Ｗ２Ｈの図に有るように深く関係しているようです。しかし、目に見えにくいもの、陰を無視しがちな人は、どんなに頭がよかったとしても愚かです。両目で見ることができない人、言い換えれば、左脳的な知性と理性ばかり優秀で、右脳的な悟性とか感性の所が欠落している人たちが社会の中心を占めているために蛇行し、世界が壊れようとしています。愛の不足です。

これを阻止するためには、この陰と陽の見方、右脳的なものと左脳的なものの両方が必要です。「なぜ」という言葉は不思議な言葉で、何度も繰り返さないとその本質は見えてこない。「なぜ」の奥のさらに奥には、世界観が控えています。ここを間違えると、「なぜ」の所が希薄になり、右目ばかりで世の中を生きるようになるでしょう。この「なぜ」に入るべき要素は、結局、何かというと「愛」です。くどいかもしれませんが、与える愛に関連するもの、創造のためのエネルギーです。

どうやら、この地球は、この「愛」を学ぶために最高の場を与えてくれているようです。その愛を生産できなければ、経済も何もかにも、価値あるものを生み出せない。愛を具体化したものが価値を生み経済を成長させ人々の暮らしを潤していきます。この愛が不足すると、特に政治的指導者たちに不足すると悲惨です。

この愛をお為ごかしに使い、優しい政治、優しすぎる政治をします。

「地獄への道は、善意で舗装されている」こんなことわざが有るようですが、愛を手段、方法論として使おうとするために落ち込む穴です。票や利権、評価を得ようとして奪う愛となり、政治家や専門家、立場のある人たちが、与える愛が入るべきところに結果だけを入れてしまうために、その奪う愛が混乱を起こしています。

与える愛を分かり易い言葉に直せば、「お役に立ちたい」という感情であり、それが結果としての喜びの元になっています。

この思いは、創造主が魂の中に込めた、誰の心の中にも存在している理念のようです。本能の一部です。

万象万物、全ての存在している、その存在意義そのものです。その個性を生かし、それぞれの立場で、それぞれの時に、必ず何らかのお役に立ちその存在意義を有していると思われます。

この「愛」という課題は、奥深く、全ての存在の原因でもあるようです。

その「なぜ」（道徳、理念）の所が希薄になると、その成果が自分に返ってこなければ無意味と判断し、自己中心で、結果至上主義になり、他者の不幸がそこに有っても無感覚になるようです。これが政府から個人にまで広がり、間違った世界を引き寄せていると思います。

企業の目的は、利潤追求ではない

この陰陽学は、「なぜ?」を何度も繰り返す中でできてきました。

世の中には様々な情報が溢れ、学ぶべきことも多く、色んな議論がされるにしても結論に至らないことが多くあります。一つの正しいと思われる情報であっても、世間が認める常識であっても、一歩踏み込んで、なぜ、なぜ、なんで、どうしてと考えると、本当に理解していることは少ないという現実に突き当たります。

例えば、「愛」という言葉でも、良いことのように使われますが、愛の中にも素晴らしい愛と、素晴らしくない愛があります。慈悲といわれるような愛と、執着といわれるような愛も有ります。優しさという愛も有れば、厳しさという愛も有ります。そして、優しさの中にも育むようなものも、相手をだめにするようなものも有り、単純ではなく、厳しさも同じです。

言葉を無意識で使っていると、正しく伝わらないし、正しく理解することはできない場合も多いはずです。それが社会を混乱させ、良かれと思ってやったことが逆に働いたりする原因でしょう。言葉を発している側に責任が有る場合も有れば、言葉を受け取った側に責任が有る場合もあります。

言葉を駆使することが不得手な私などは混乱の中に置かれてしまいます。

そこで、言葉を整理する必要があり、できたのが5W2Hの図たちです。

結論から言いますと、どのようなことであれ、この世の中で形を成すものは、たとえ抽象的なことであれ、この言葉の上に成り立っています。

ですから、私は、何かを聞いて学ぶときも、この図の中のどこで、何を説明しているのか考えようとしてしまいます。

そこで気が付いたことが有るのです。

昔、小規模企業経済同友会に参加させていただいていた時に、多くの企業が、種をまくことを「行い」の中に入れていたようなのです。例えば、企業の目的は利潤追求だといわれていて、その企業理念として社会貢献を企業理念として、社是として挙げているところも多いのですが、何となく、利潤を上げるための手段として使われているような気がしてならなかったのです。当時、よく言われていた言葉に、手段と目的を間違えているというのが有りました。目的と目標が似ているために起きていることのようで、目的は抽象的で見えにくく、目標は具体的で見えやすい面があります。言い方を変えれば**思いが目的**で動機であり、**行いが目標**、手段です。一番大切なのが目的なのですが、見えにくく抽象的ですので、どうしても手段とか結果における目標が一番前に出てきます。下手をすれば、目的としたものが消えてしまい、結果として得ようとしていることが一番大切なことのように錯覚します。これが手段と目的を間違えているということです。

これで、「企業の目的は、利潤追求だ」ということになりがちで、これが常識になっているようです。要するに結果主義といっても良いのですが、本来なら、「**企業の目的は、社会（顧客）貢献であり、その結果目標として利潤（儲け）追求が有る**」。価値ある商品やサービスならば、より多くの人たちに供給する権利が有り、そのために適正な利潤を上げ拡大再生産すべき義務がある、となるべきなのに多くの人が間違っています。

目的（思い）に入るのは、種の中に含まれているＤＮＡ（設計図）であり、動機であり、道徳であるべきなのに、あまりにも現実の成果を得たときの喜びが直接的で大きいために、本来の動機にある喜びがかすんでいくようです。

利潤（儲け）が出なければ、会社を存続できないし、従業員の雇用を維持できないからと言って、利潤（儲け）を第一義に考えるような雰囲気になっている。結果主義に陥ると、目標はその多寡になりかねません。欲が深すぎた場合や、逆境に置かれた時に、手っ取り早く結果を得ようとすれば、他者が積み上げたものを奪うのが簡単です。そのために、企業犯罪とか、個人レベルでも、国家レベルでも犯罪行為に手を染めるようなことが増えているのです。

政府の税制など本来の目的を忘れて税収を増やそうとしているのは明白です。税収が増える原因は経済が活性化して国民が豊かになることです。国民が豊かになれば自然と税収は増えます。その難しいことを放棄して結果ばかりを求めることで最悪の悪循環を起こしている。努力はしているようですが、この循環の中に間違ったものを入れたり、見えにくいものを無視したりするために、結局、悪い社会を創っている。思いの中に濁ったものを混じらせているせいです。

陶芸体験で説明する時も言うのですが、この「思い」に入るもの、要するに心の態度として有るべきなのは、素敵な作品を作るための原因づくりなのです。具体化する努力は必要なのですが、結果主義に入り込むと、作品の見栄えは良くても、なんだかつまらなく、心を打つものとはならないでしょう。この「思い」の中に含まれるべきは、「愛」に関係するもの、素晴らしい愛に関わるもの、無邪気に楽しむこと。神様から微笑みの光が差し込むようなものです。結果にこだわり過ぎず、無邪気に無心に一生懸命に作ること。そうすれば、本来の自己が投影され、たとえ形がゆがんでいても、素晴らしい作品になります。もちろん陶芸に限らず、ここに入るべきものは、素晴らしい成果を求めるなら、素晴らしいものを入れなければなりません。そうであるにもかかわらず、目に見える結果にこだわり、動機の中に素晴らしくないものを混じらせる場合が多いのです。濁りが混じっていると、見た目は良くても、その成果は、素晴らしくないものになっている可能性が有ります。これは、イエスが言われた種の話と同じでしょう。

これは、大切なものは目に見えないといわれるように、現代にも起こっている現象であり、ネオコンとかＤＳ（ディープステート）とかグローバリストとか言われる人たちが落ち込んでいる間違いです。思いの所に結果が入り込んでいる原因は、その下敷きに有る世界観に問題が有るために起きていることだと思うのです。自分のことや結果ばかりを見すぎて、そもそもの、自分という存在の意味も、自分たちが生かされている世界のことも知らず、深く考えようとしないことが原因です。結果の前の原因作り、行いの下敷きに有る思いの重要さ、その思いの中身を磨くためにこの世が有るのに、結果として、この世の存在自体を素晴らしくないものにしつつあります。

玄明の陰陽学の始まり

「フラクタル陰陽学」がどのようにして生まれたのか、説明しておきます。20代の後半だったと思いますが、とても衝撃を受けたことが有りました。それは、大事件でもなかったのですが、私に大きな気づきを与えてくれたのです。

ある年配の人と一緒に仕事をしている時でした。彼は、要領も悪く機転が利くタイプでなく、正直言って私は彼を馬鹿にしていたところが有りました。

ある時、私のミスで彼にケガをさせたのです。彼は、たいしたことは無いからと言って休むことは無かったのですが、一か月近くたっても痛みが取れないということで病院に行かれたところ、骨にヒビが入っていたということでした。

しかし、彼は、一度も私を攻めるような言葉も出さず、愚痴一つこぼすことなく、笑顔で淡々と仕事をされていました。

私は申し訳なかったという気持ちも有り、視点を変えて彼を見たのです。そして、彼の長所を見て私と比較しました。その長所と短所を見比べてみた時、非常に恥ずかしく感じたのです。

彼は、サボることも無くまじめに笑顔で淡々と仕事をしていました。要領も悪く機転も利かなかったのですが、私は、そんな彼を利用していた面があったのです。客観的に彼と私を比較して、どちらが優れているかと考えると、とても自分を上に置くことはできませんでした。とても恥ずかしいと思いました。

その後私は退職して独立することになったのですが、私の後に来た人は中国籍の人で、何か国語も話せるし、マージャンも強く舌を巻くほどでした。とても頭が良いのだろうと思っていました。

しかし、時々様子を見に行くと、その年配の人を馬鹿にした言葉を出して愚痴ばかり言っていました。そうじゃないよ、おじさんの長所をよく見てごらんよと言っても聞く耳は持ちませんでした。

人には、ある意味、2種類の人が居るように感じたのです。頭が良い人と心が良い人。頭が悪い人と心が悪い人。要するにバカな人と、愚かな人。

その時、気づいたのです。私と中国人は、愚かな人でした。

バカな人はなかなか人から評価を受けることは無いでしょうが、愚かな人は、なまじ頭がよさそうに見えるために始末が悪いのです。そのころからでしょうか、人には左脳（知性・理性）的な「頭」の良さと、右脳（悟性・感性）的な「心」の良さがあるように思ったのです。

こう考えると4象限が出てきます。

頭も心も両方悪いのは、どうしようも有りませんが、頭が良くても心が悪ければ、周りに被害を及ぼす点では最悪かもしれません。現代社会では、どうやらこの分類の人がペーパーテストなどで評価され社会のトップで活躍するために社会がおかしくなっているようです。

このおじさんのように頭は悪いかもしれないけれど、心が清く温かい人を評価できない社会は滅びの道に向かっていくでしょう。

もちろん、頭も心も良いのが一番です。イエス・キリストも言われていますが、まず心が清くあることが大切であり、ここが濁っていると天国の門は開きません。このことがきっかけになり、私に二つの目が開けた時期でした。今でもそのおじさんにはとても感謝しています。

そして陰陽学的な形になったきっかけは、あることを学んだことでした。

この大宇宙の始まりの創造主の理念の中に「進歩せよ、されど調和せよ」といった念いが有ったと学んだことです。この理念がこの宇宙の始まりに在り、この大宇宙が創られてきたという事。

私は、このことを信じました。

前の大阪万博の時のメインテーマでもあった「進歩と調和」という言葉です。

なぜかというと、本を読んだりして詳しく学んだことはありませんでしたが、元々、陰と陽という考え方、その雰囲気に興味を持っていました。

私の名前に「玄」という文字が有ったことも関係が有り、明という名前の弟がいたことも影響したかもしれません。昔、法人にすることを勧められたときに「玄明」という有限会社を作りました。職種を変え陶芸作家として生計を立てるときに、この玄明を作家名にして、その後、法人は解消しました。

玄明は、これも陰と陽を表現している言葉です。

私は、コップなどを作るときにロクロに粘土の塊を叩きつけて一品ずつ作ることが多く、その時、作品を切り離すのに二重らせんにねじった針金を使います。そうすると、作品の底に渦巻の模様が刻まれるので、その渦の中心に「玄」という文字を入れています。

そこで、私は、こんな説明をしています。

渦の中心に玄なる目に見えないモノが原初に有り、渦を巻きながら目に見える明なるものが現れる。玄と明とは、原因と結果を表し粘土で作られる器もそうだけれど、全てが同じだと説明しています。

私流の陰陽の解釈ですが、全てに陰と陽が含まれており、時間、空間、人間の中にも有ります。時間には原因と結果の関係、空間には他者と自己の関係、人間には右脳的な情と左脳的な理の流れが有り、陰陽の両視点を持たない限り物事は立体的に見えることは無いと考えています。

立体的に見えないということは、距離も測れず、物事を正確に観ることはできません。そのために、現代の多くの人々は、状況を正確に観ることができず、蛇行し様々な不都合な事が世界で渦巻いています。

このような視点が開けたのは、進歩と調和という言葉に関心を持ち、陰と陽に関することを探求したからでもあります。

人は自分という存在を起点にして物事を考えますが、その自分自身のことも理解できず身の回りの事を正確に理解することは困難です。この進歩と調和という言葉、これは、一つのきっかけになりました。

昔から真理ということに興味があったからです。

まず言葉でした。調和と進歩、この二つの言葉で同時にイメージしたことは陰と陽という概念でした。進歩とはタテ軸で伸びていこうとする力であり、目に見えやすく陽のイメージであり、調和とは、ヨコ軸で広がっていこうとする力であり、目に見えにくく陰のイメージでした。植物でもなんでも、タテに伸びようとする力とヨコに広がろうとする力が有ります。私たち人間の心の中にも伸びようとする気持ちと周囲との調和を図ろうとする心が在り、その力を常に調整しています。

さらに、様々な「ことば」が有りますが、どのような言葉にも、原初の進歩（タテ軸）と調和（ヨコ軸）の波動が有るのではないかと推測したのです。すべての起源に進歩と調和という理念があるとすれば、言葉もその理念を帯びているだろうと思ったのです。

そして、様々なことを二つに分類してみました。

男女の違いも大きく分けると、男性は進歩を、女性は調和を体現しているようですし、厳しさと優しさということも有ります。

様々な言葉を考えてみました。

言葉では、基本的に「いつ、どこで、誰が、何を、何故、どのようにして、どうなった」というように文章は構成されます。

「いつ」は時間要素で、これがタテ軸での進歩を中心に意味します。

「どこで」は空間要素で、ヨコ軸で調和を要請されているようです。山でも高さと裾野の広がりがバランスをとれていなければ美しい富士山のような山にもならず、また、簡単に崩れやすくなります。

また、惑星などの球の形もタテ軸とヨコ軸で見るならば同じです。

「だれが」は、人間でも動物でも同じですが、心にしても体にしても上に伸びようとする力と横に広げていこうとする力が有ります。魂の向上を願い、協力関係を広げようともします。

「何を」という課題であっても、この進歩と調和という二つの要素は無視できません。「なぜ」という動機であれ、「どのようにして」「どうしたい」であれ、単純に見るならば、進歩と調和というタテ軸とヨコ軸を広げようとしているにしかすぎません。より丸く、より大きくなろうとしているようです。


　どうやら、私たちの存在理由にしろ、私たちが生きていく上で、このタテ軸とヨコ軸の関係を無視することはできない。この十字架をすべての存在が背負っていると感じました。

この十字架は、陰と陽でもあり、全てのモノに様々な形で含まれている。

この陰と陽は、調和と進歩であり、空間と時間であり、他者と自己であり、原因と結果であり、山の裾野と山の高さであり、社会貢献と利潤追求でもある。見えにくい世界と見えている世界でもあり、魂と心であり、心と体であり、思いと行いであり、ソフトとハードであり、設計図と製品であり、目的と目標でもある。さらに感性と知性であり、悟性と理性でもあり、右脳（左目）と左脳（右目）の関係も陰と陽の関係のようです。

　この右脳と左脳は、両の目に無限大のマークのようにつながり物事を見て考えているようです。左右に二つの視野があることで世界は立体的に見え、距離を測ることもできます。見て考えている中にもタテ軸とヨコ軸の十字架を使いながら生きているようです。どうやら私たちは十字架を背負って生きているとも言えるのでしょう。

フラクタルの森とは

先の「人体の統御システムの不思議」の中の図（p26）は、強引に様々なことを人間の脳と目の構造に関連させて説明しようとしています。昔、山を切り開いて窯で使う木材を切り出す道を造るときに、この無限大マークのような道を造りました。そして、そこに関連するようなことわざを書いた板を並べて「ことわざの道」として、哲学の森、フラクタルの森として、その山道を陶芸体験で来られた人たちに散策してもらったりしていました。

今、世界には議論されている内容も複雑に絡み合い、私のような凡人には理解不可能なことが渦巻いています。しかし、それらを細分化して、一つ一つをこの森に載せて考えるなら、見えやすくなるはずです。

あいまいな論理に頼ることなく、物事をより正確に見ることで、より素晴らしい人生を一人一人が歩めるし、世界を素晴らしくしていけるのではないでしょうか。そのような理念で、このフラクタルの森は作られています。

まず、全体の説明をしておきます。

このフラクタルという言葉は、部分が全体と相似（自己相似）となるような図形のことを意味します。1960年代に数学者マンデルブローにより新しい幾何学の概念として出てきたもので、コンピュータグラフィックスを用いて表現され、植物や波や雲の形など自然の中の複雑な図形に見出せるとしています。

大雑把に言うと、「同じような図形が繰り返し現れる図形」のことです。

これを使うと、波が海岸などに打ち寄せ、山の造山活動などの複雑な動画を計算させながらCGで描くことができるようです。全体に表現された中の一部をクリックして拡大すると、その基になる情報が含まれていて、それが繰り返し拡大再生産されながら全体図を現わしているということのようです。

顕微鏡で見る極小の世界と、望遠鏡で見る極大の宇宙の図が似ている。ということは、その両極をつないでいる私たちが認識している、その中間の世界も似ているはずです。その似ているものが何かと探ってできたのが、このフラクタルの森です。

そして、昔から陰と陽の考え方が有ります。

世の中のすべてのものは「陰」と「陽」という正反対の性質を持ち、お互いに協力、影響し合いながら、物事を支え動かしているという考え方です。

このような考え方は、東洋だけでなく昔から世界中に有ります。

「宇宙は全て陰と陽の要素で成り立っている」と、オーストラリアのアボリジニやアメリカインデアンの中でも昔から言われていたことのようです。

例えば、人間には、基本、男と女がいますが、男は陽、女は陰で、相対的に補いあっています。また、コインの表と裏も陰陽であり相対的な２つのものが有ることで存在できている。

探せば全てに陰陽の要素があります。収入と支出、優しさと厳しさ、素晴らしさと凄さ、進歩と調和の考え方も同じです。

どうやら、世界は、目に見えにくいモノと、目に見えやすいモノで構成されており、表面に浮かび上がっているモノと、それを支えてくれているモノ、原因と結果の関係で成り立っているようです。

フラクタルの森とは何かというと、このフラクタルの考え方と陰陽の考えとが似ていると感じたために一緒にしたのです。

森には様々な樹木が有りますが、形や性質は違っても、根っこが有り幹が有り枝葉が有り花を咲かせ実をつけて種を育て命を伝えています。その森の中で生きている動物や昆虫たちの営みも、その形態は違っても命を育み子孫を残していく姿は似ています。

人間の営みも同じで、全ての命に通じる法則が有るようです。

人間の作り出した文明も同じです。どのような存在もより良い果実を生み出し、より素晴らしくなろうとしている姿は相似形を成している。

この、デジタル的なフラクタルと、アナログ的な陰陽の考え方を混ぜ合わせるとどうなるのか、案外、抽象的で分かりにくいことが目に見えやすい形で表現できるのではないかと考えて生まれてきました。

このフラクタルの森で必要な考え方は、二つの視点で考えること、深く考えること、比喩で考えること。

この3つの考え方は、科学的に考えるということを分解したときに出てくるものです。科学的とは、学者とか専門家と称される人々が言っているからそうだとは言えません。科学的とは何かというと、「客観性」と「論理性」、そして「再現性」が有るでしょう。ただ、「再現性」には限界が有り、人や時、所の違いによって同じ結果が出るとは限りません。

その人時所の違いを入れるために不可欠なのが「論理性」と「客観性」です。

客観性には、最低でも二つの視点からの見方が必要なのですが、本質を言うなら三点での視点が不可欠です。自と他と全体の考え方。

「論理的」とは、深く考える事でもあり、時間軸での考え方、積み重ねていく考え方です。

「再現性」を補完するために比喩で考えるということが必要なようです。

比喩で考えるとは、何かというと、まさしくフラクタル的な考え方です。見た目に違いが有ったとしても、そこに流れている因果関係の流れには共通したものが有ります。再現性にもつながる考え方です。

これらが絡みあい補完し合うことでより立体的に見えてきます。

どの考え方も切り離せるわけでは無く相互に関係している。

①複眼（両目）で見る

まず、複眼（両目）で見ることを考えてみます。

正しく物事を見るために、一番分かり易いのが、この両目で見ることです。

これは、客観的に見ることを言い換えてもいます。とても重要でもあり、何かを投げて的に当てるときにも無意識にやっています。水平方向と垂直方向の調整をしなければ的に当たりません。

両目で見るとは、簡単に言えば、何かを考えるときにそれに関する事を最低でも二つ並べてみることです。陰陽で言われる二つのことは様々有りますが、どうしても片方だけでもう一方は忘れられがちです。抽象的なことは特にそうです。

例えば権利と義務です。

人権はよく言われますが、同時に見なければならない「義務」が見逃される傾向が有る。ただ、この義務も深く見て考えなければ表面的なことになります。人には幸福になる権利があると言いますが、本当は幸福になる義務があるというのが論理的な結論です。不幸の原因は、自己を中心にして全て権利のように思い込んでいるから蛇行するのです。

「人には、幸福になるために努力する権利が与えられ、幸福になる義務がある」

これは、創造主なる神を意識して考えるなら否定のしようがありません。

自分を幸福にできない人が他者を幸福にできません。最低でも自分を幸福にする義務が有るのです。

これらは創造主から与えられている権利であり、義務です。

もう一つ重要なのが自分の意見と他者の意見が違う場合です。

両目で見るとは、他者の意見と自己の意見を並列に白紙の上に並べて考えることでもあります。原則、だれもが自己の意見を正しいと思い込んで意見を持っています。しかし、自分の今持っている意見が本当に正しいとは限りません。他人の意見の方が正しい場合も多いのです。

これはヨコ軸（他者）での見方が基本ですが、同時にタテ軸（自己）での見方の検証も必要になります。ここでいうタテ軸の考え方とは、タテに並べられた整理箱のようなもので、認識のレベルに応じて入れる箱を変えます。そして、蓄積した、情報、知識を引っ張り出して使うときに、どこから引き出してきたのか認識しておく必要が有ります。

この考え方の基礎に当たるものは、昔、私が人生を生きるにあたり心の態度をどう決めればよいのかを決めるために考えたものがあります。自分に与えられている時間がどのようなものであるか考えたときに出て来ました。

そのときに考えたのが、死後の世界の有無でした。後で詳しく述べますが、無いという意見と有るという意見が有り、どちらが真実なのか想定問答してみたのです。現実は分か

白紙の上に並べる

他者の正しさ ← ◎○△|△○◎ → **自己の正しさ**

現実 苦		対立する意見	
事実 集		事実のみを集める	
真実 滅		それが真実なら どうなるか	
真理 道		究極の客観視を試みる 創造主・天・神仏の視点から観る価値観	

らないが正解でしょうが、どちらも証明もされていないけれど、その前提が違えば生き方も違ってくるだろうと考えました。

どちらを信じるかでした。

考える材料が無ければ考えることができず、双方の主張の元にある事実のみを集めることしかできません。しかし、ウソの情報も有り、フェイクニュースは溢れています。それを見極めることができなければ間違った情報の元に騙されていることが多々あります。その判断を間違えると目先良いとしても未来は狂ってきます。歴史の中で人々は間違い、戦争という罠の中に何度も引きずり込まれました。

ただ、自分で考えている正しさ、その

認識も本当はいい加減なもので、ただ情報を鵜呑みにして信じ込んでいるだけの認識から経験を通したうえで深く考え認識したものまで様々有ります。それぞれ各人が知識の整理箱というものを持っており、その整理箱には上から順番に何段もの箱が有ります。現実、事実、真実、真理というように、ただ聞いたことが有るだけのこと、単に知っていると思い込んでいるもの、知っていると思い込んでいたものにも、深さ、広さ、高さが有り、無知を思い知らされるようなことも有ります。経験を通して知っているものとか、様々なレベルのものを整理箱に入れています。

　考えたり議論したりするときでも、どこに整理しているのか確認せずにランダムに引き出して使いますが、その引き出しの場所を見誤っていたなら、後で後悔するようなことが待っています。人生を生きるにあたり、このような視点を持つことも大切ではないでしょうか。

　物事を正しく見られなかったとすれば、正しい判断ができずに不幸を引き寄せてしまいます。次の図は、私なりにこれまで整理してきたものです。

三十歳のころ、最初に使ったのが「死後の世界の有無」（ｐ１０４）でした。

人生の生き方を決めなければ非効率だと考えて、実際はどちらだろうと考えました。その時は、おそらく死後の世界は有るだろう程度でしたが、しかし、今は、間違いなく有ると確信しています。もちろん、ただ、信じているにしかすぎないけれど、逆から言えば、

白紙の上で真実を探す

確信◎信じる●たぶん▲	課題	たぶん▲信じる●確信◎
天動説	天体	地動説
無い	死後の世界	有る
存在しない	創造主	存在する
大衆のアヘン	宗教	動物と人間を分けるもの
日本軍は残虐だった	南京大虐殺	捏造、反日の材料
日本軍は下劣だった	従軍慰安婦	捏造、反日の材料
プレート反発説	地震	水蒸気爆発説
少ないほど良い	放射線	適量なら健康にプラス
打つべきだ	コロナワクチン	問題があり危険だ
二酸化炭素のせい	地球温暖化	温暖化ガスが原因ではない

無いと思っている人もそのように信じているだけです。もし無ければそれまでのことです。しかし、死後の世界が有ったとすれば取り返しがつきません。無いと思ってやりたい放題のことをしておれば、おそらく地獄という世界に行くことになるでしょう。死んだら全てが終わるという考え方が、どれだけ恐ろしい社会を生み出すことになるのでしょうか。

コロナワクチンでも使いました。私は、ワクチンを一回も打っていません。

ワクチン接種を勧める意見とネット上で散見されるコロナワクチンの危険を知らせる意見とを白紙の上に並べてみたのです。すでにコロナワクチンが及ぼしているマイナスは、数字としても出ていて、本来持っている免疫力に影響を与えた結果、色んな病気が暴走し、現実の死者がコロナ感染での死者を差し引いても極端に増えているようです。ワクチンとの因果関係が証明されていないということですが、状況証拠としては十分です。ワクチン接種開始後、死亡者数は増加しているといいます。それなのに、まだ、政府はワクチン接種を勧めているのです。

　どれほど愚かな選択をして愚かな結果を引き寄せているのか反省もしません。

　正しさを間違えることの恐ろしさを知るべきです。

　脱炭素でも同じことが言えるでしょう。なぜ、みんなで二酸化炭素を悪者にするのか。その背景には、おそらく二つあるでしょう。

　左脳的な利益誘導と右脳的な恐怖心、それで利益（結果）を得ようとする人たちの思い、恐怖心で大衆を操縦しようとする思い。間違った判断による経済に与える損失は甚大です。私は、まだ、二酸化炭素が地球温暖化の原因だという証明を知りません。一部の学者の説が独り歩きしているだけで、その学者に証明を迫った学者の質問にも答えていないそうです。

　浅く考えると恐怖心に支配され、簡単な利益誘導に引っ掛かります。

　ウクライナ問題でも、なぜ、プーチンを悪者とするのか、同じことです。

　どうやら、今、表面的なモノに踊らされ、童話「ハーメルンの笛吹き男」のような現象

正しさの基準

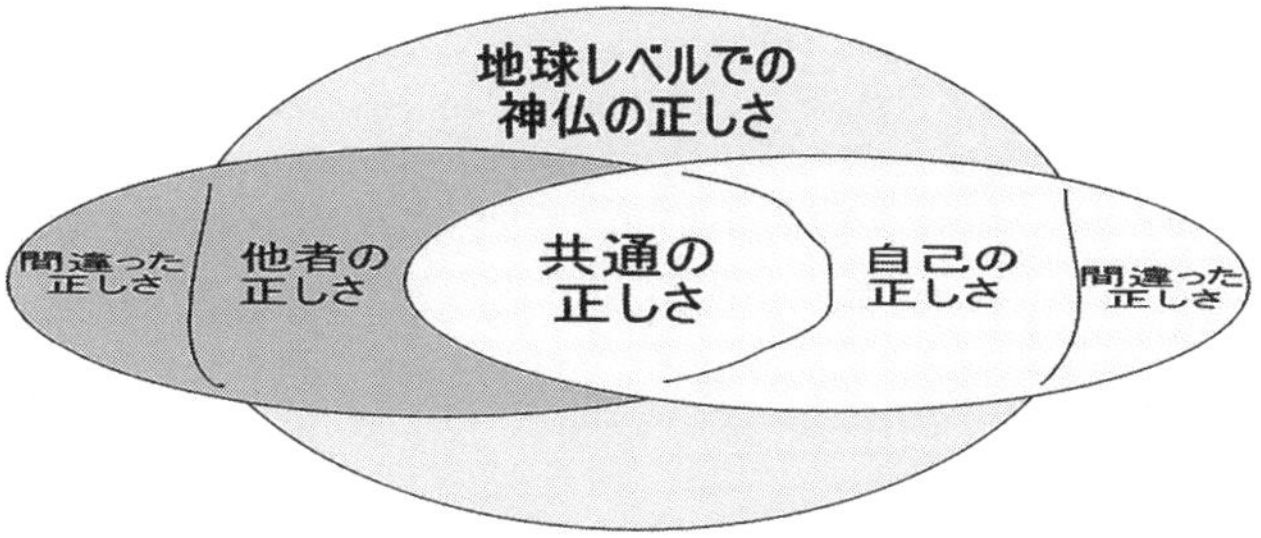

3点測量・・・他者と自己と、神仏の視点で見る

それぞれの正しさがぶつかっているときに、両者を我が子と見ているような
仏神の視点で見ようと努力することこそ、究極の客観視ではないだろうか
多くの宗教は、その地域のせまい視点で小さな神様に頼ろうとしている
無神論ではそれぞれの正しさが主であり相手を単純に攻撃しあうことになる

が起きるということのようです。

今、世界には、ある笛の音が流れているようです。その笛の音は、自己中で目先のものしか見ない結果主義の雰囲気を持っている。

そして、この二つの視点に関連して次に客観性ということが有ります。

客観性の先には、自己の視点から離れて善意の第三者から見ることですが、どこに視点を置くかです。

考える主体が違えば善悪の判断も違ってきます。神仏の視点から見ることは難しいので、考える主体に最高のジジババを持ってきて論理的に考えるように努力しています。その視点での正しい価値観が感じ取れるなら偽物に騙されにくくなるでしょう。

個人的な努力には限界が有りますが、全人類を我が子や孫のように認識できている人、そのように発言し行動している人が居れば、それが学ぶべき存在です。救世主であり、地球神とも言える存在です。

世界が混迷を極めている今、そのような人が世界のリーダーとして世界の中心で言葉を発することができなければ、世界はどうなるのでしょうか。

自分の中の偽物を選択し、偽物のリーダーを選び続けてどうなるのでしょうか。真なるモノを発見できなければ、善を極めることも美を極めることも無く、地獄のような偽、悪、醜なる世界に至るでしょう。

地獄の世界をこの地上に実現することになり、幸福とは反対のものを造り上げてしまう。真善美という価値観は普遍です。この価値観が逆転しないように、このフラクタルの森、玄明陰陽学が、幸福実現のために多くの人々にお役に立つことを強く願っています。

これには、原則、信仰心が不可欠です。要するに、自と他と全体の視点から見るというこの図のような三点測量です。

原則、誰であれ自己を中心として考えます。普通はそうです。

善意の第三者を持ってきて公正に考えようとしても限界があります。

人々の判断は、複雑に絡み合い、それぞれの評価があり、それぞれの価値観が対立し、迷い、紛争が生まれ、戦争まで至る。

善意の第三者の究極には、神なる視点が有るが、それも難しいでしょう。

神という認識も様々な意見に分かれるからです。


色んな対立の中で、皆で議論し解決しようと努力するも、その努力が無に帰することも多々あります。なぜなら、対立する考え方で勝利しようとするなら、独善的に自己中心で決断し強権を発揮する方が、簡単に相手を支配できるからです。

弱肉強食の世界観で判断し行動する方が、分かり易く目先の結果を得やすいからです。


しかし、全てに神の目は注がれ、神の見えざる手が働いている。

因果の法則は全ての宇宙を支配し、それを眩ますことはできない。

面倒で、曖昧で、難しくても真理に沿った判断を模索するしかない。

その為に大切なのが、神をどうイメージすることができるかということです。

どうしても、人は、神を自分に都合の良いように見てしまいます。

困ったときの神頼みぐらいにしか思っていないのです。

神とは、創造主であり、全生命、全人類の親でもあるでしょう。

神なる存在を全人類の親であるとして、対立の当事者を我が子や孫として、それぞれの考えの正しさを見ていくなら、解決の糸口も見えてくるでしょう。

神とか創造主とか見えないものの究極の存在を意識できないのなら方法は別にあります。宗教による神仏に関する認識も様々ですから、最高最善最良最大のジジババを持ってくるという方法です。普通のジジババではダメです。

これは比喩で見ることでも有ります。紛争や戦争で対立している者を全て我が子や孫として考え調整すれば解決の道は見えてきます。さらに、子や孫にどのような未来社会を与えることが理想なのか考えるなら答えは出てきます。

政治は、昔から「まつりごと」として、神に代わって行うことになっています。その政治を行っている者が、神どころか、最悪のジジババになっているのが世界の現実ではないだろうか。最悪のジジババは、子や孫のご機嫌を取るために様々なモノを与えます。子や孫を、その未来を素晴らしくしたいのではなく、自分の老後とか自分がチヤホヤされることを考えてしまいます。子や孫のためでなく自分のためにバラまいていることが多いのです。

良い判断ができなければ、悪い判断は悪い未来を造ります。

私たちは、その悪い未来をただ受け入れるしかないのです。

②深く見る

次頁の図は、5W2Hの図の原型に当たるものです。

行い・思い・世界②

行い **陽** 見えやすい 左脳的要素	**どうしたい** 目標・結果	理性 A B 反省	**結果が出る**	**美**	**社会**
	どうやって 手段・具体化	知性 A 知	**行動して**		**規則**
思い **陰** 見えにくい 右脳的要素	**なぜ** 目的・設計図	感性 B 愛	**思って（判断・動機）**	**善**	**道徳**
	なにを 課題・客体	悟性 O 発展	**見て（認識）**		**思想** **宗教**
世界 さらに 見えにくい 前頭葉的要素	**だれが** 人間・主体	**真理**	偶然に生まれた～ **神の子として創られた**	**真**	
	どこで 空間		この世だけ～ **霊界は有り、天国地獄も有る**		
	いつ 時間		死ねば終わり～ **魂は永遠に転生輪廻する**		

「フラクタルの森」の基本になる図でもあり、論理的に考えるというときに不可欠なものです。社会には法律などの規則が有り、それは道徳に基づいて作られます。その道徳は、思想、宗教から来ています。

深く見て、考えなければ、どうしても表面に浮かび上がっている、この図で言えば、上にある「行い」の部分、結果ばかり見て考えるようになります。

このことが何事でも一番の問題になるのです。要するに、結果主義、結果至上主義になってしまいがちです。その原因は、自己中であり、深く考えようとする姿勢を忘れていること。思考停止させ結果を生み出している原因のところを無視してでも成果を得ようとしてしまうことです。

ディープステート（ＤＳ）とかネオコン、グローバリストとか言われている人々や、知らずそのような人たちの影響を受けて協力者になっているような人々の持っている傾向性です。

基本的に言えることは、「なぜ」「なぜ」と深く掘り下げて考えなければ、表面的な手段や結果の所で止まってしまいます。ただ、一度くらい考えただけでは「なぜ」が「どのようにして」で止まってしまうのです。それを思考停止といっています。

さらに「なぜ」を何度も何度も繰り返していくと「いつ、どこで、誰が」の所に降りていきます。要するに環境であり世界の所です。

この所が、深く考えることの最深部です。世界の時間と空間をどう見ているか、その中に居る自分自身を、どう見ているかです。

この世界には、現象世界と心象世界が有ります。

現実に目に見えている世界と、もう一つは、目に見えている世界の奥に有り、その意味を含んでの認識世界です。現実の目には見えていない心の目に見えている世界です。どちらも、基本的には、人・時・所で違いが有り、人、時、所の見方も違うのです。

どちらの世界も、ある意味、思い込みの世界といっても良いでしょう。同じことでもネガティブな見方もできればポジティブな見方ができるように意見も分かれます。

大きく分けると図にも書いていますが、私たちが生きている環境が一体どんな世界かという認識です。これも後で詳しく書きますが、その上に積み重ねられることに大きく影響します。

三十歳のころに時間については考えたことが有るのですが、死ねば終わりの世界と、仏教で詳しく伝えられているように転生輪廻の世界とでは大きく違ってくるのです。その時は、どちらが正しいのか判らないという判断でした。しかし、死んで終わりということは無く、おそらく死後の世界も有り、生きているときに行ったことの責任を取らなければならない世界が有るのだろうくらいに考えました。その時、試しに二つの世界で想定問答してみたのです。想像すればわかると思いますが、死後の世界が有る方を選択し、生真面目に生きようとする方向を選択するしかありません。そうは言っても、私自身、不真面目な人生ドラマも様々有ったことは認めます。しかし、逆の選択をした人であるなら、死ねば終わりの世界で生きているなら、結果の出せない人生は無意味になりかねません。順境に生きている人は大丈夫かもしれませんが、逆境の中に生きていたり、欲が深かったりすると結果を得るための行いに制限をかけにくくなります。罪に問われた、人にバレなければなんでもやってしまうことも有るでしょう。

このように、時間と空間と人間の理解が無く、間違っていれば大変なことを引き寄せてしまいます。真理はどちらに有るか探求する必要が有ります。そのために宗教は存在しているのでしょう。

見えない世界は、信じることしか理解できないからです。ただ、証明不可能なことなのでダマシが入り、結果至上主義で自己中心主義の人たちが邪教に関わり、社会を混乱に引きずり込むようなことは、現代にも過去にもたくさんありました。

　これらの図は玄明流の見方であり、独断と偏見で様々なものを関連付けています。極端な言い方をすれば、物事を見て（聞いて）考えるということは、人間に創りこまれている目と脳の関係が無関係ではないのです。

　順次説明を加えていきますが、このように整理することで物事が立体的に見えてきます。右脳（左目）の特徴が「思い」に、左脳（右目）の特徴が「行い」に関連しています。両目で深く見ている状況とは、前頭葉のところで統合され、額にあるといわれているチャクラで見て考えているといってもいいでしょう。そのチャクラが真理の「世界」につながる部分のようです。

　このチャクラの部分は、真理を悟ることにより、更に頭上のチャクラへと昇華していくと言われているようです。この構造は、ピラミッドの持っている不思議な働きと類似しています。強引かもしれませんが、あらゆることをこのピラミッド構造の中に入れて立体的に観ることも可能です。そのピラミッドで立体的に観ることは、経済などの課題を考えるときに、とても便利です。

　要するに、私たちが何かを考え行動を起こすときにも順序が有り、積み重ねる形で循環しています。

見て、判断し、思って、行動し、結果が出る。その結果を見て、判断して思いと行いで、また結果が出ます。それを繰り返してすべてができてきます。左脳的なもの陽と、右脳的なもの陰が循環して世界はできているようです。備前焼のような工芸作品でもそうです。人生そのものもそうです。地域も国も惑星も宇宙もそうだと思います。

とても飛躍しますが、この宇宙自体も、おそらくそのはずです。世界の原初である創造主のスタートの地点から、この流れは始まっており、これからも未来永劫この流れは変わらないのではないでしょうか。

世界（環境）が有り、思い（イメージ・設計図）と、行い（具体化）でできています。私が造っている備前焼も同じです。この岡山という環境で、そこで採れている粘土や薪を使い焼き上げています。厳密には、私が住んでいる所は昔で言えば備中地域になるので地域で言えば備中焼かもしれません。しかし、備前地方で採れた粘土を使っているという根拠で備前焼とも言えるでしょう。無釉の焼き締めであるという定義で備前焼ということにもなります。

それらを素材に、もちろん、先人たちの作品を見て影響を受け、さらに自分でイメージしたことを具体化させ作品にしている。それが色んな人に評価され受け入れられて生活できています。人生自体も同じで、環境から色んなことを学び蓄積し自分なりのイメージを造り上げ、今があるのです。

③比喩で見る

「世界は、すべて陰と陽で成り立っている」と昔から世界中で言い伝えがあります。陰陽とは、大きく分けるなら、見えにくいモノと見えやすいモノ。

整理して考えるとどんなことにもこの陰陽が有り、両方を見ていなければ物事を立体的に見ることはできません。

色んな課題やテーマで、細かくは違いが有ったとしても共通した流れがあります。このフラクタルの森では、リンゴの木とかを例に出すこともありますが、人生も社会も国も政治も経済も同じく、草木が成長していく姿と同じです。種がまかれて、水をやり、果実が実り、報いありと言われているように、果実の甘さ苦さにも種と育ちに理由があり、己自身の幸不幸は、過去に必ず理由があるということ。

これは因果の法則ですが、この法則は全てに当てはまるでしょう。

ということは、比喩で物事を考えるということが論理的に成り立つわけです。

「大切なものは目に見えない」ということがよく言われますが、行いは見えやすいけれど、思いは、目に見えにくく証明することも難しく、時には間違い、成果が出ないこともあります。パソコンでもハード部分は見えますが、ソフトは目に見えません。ソフトが入っていなければただの箱です。

大切なことは見えにくい、無視するとその価値は消えていく

全ては　陽（　結果　自己　）左脳的要素 ／ 陰（　原因　他者　）右脳的要素　で成り立っている

コイン（お金）　価値 ／ 信用

製品・人生　行い（具体化） ／ 思い（設計図）

世界　此岸（この世） ／ 彼岸（あの世）

企業　利潤追求（目標） ／ 社会貢献（目的）

国家社会　政治経済 ／ 思想宗教

陰とは目に見えにくいものであり、陽とは目に見えやすいものです。紙の裏表の関係であり、表が有るということは裏が有ります。お札を例に出せば、そこに書かれている数字を支えているモノが、見えないところに有ります。それは「信用」です。その信用とは何かというと、これが種にあたり、この種が腐り、種の中の遺伝子、設計図、ソフトが壊れてしまうと、芽を出すことも実をつけることもできません。たとえお札で一万円と書かれていても、それはむなしい数字でしかなくて、その価値は消えてしまいます。

価値あるものを創造するべきだし、その価値が消えないように、それを維持する信用という見えにくいものをしっかりと見るべきだということ。論理的に考えるにしても、基本は、常に両目を活性化させ、物事を立体的に見て、距離を測り、深さを測り、人生を生きていく必要が有るということ。思考停止の原因も、間違った判断で自他ともに不幸にしていく原因もすべて共通しています。

深く掘り下げようとしないからです。分かったつもりになっているからです。

自分の考えばかりを正しいと信じ、他者の言っている正しさに目を向けないせいです。

自と他の関係で、自己を中心に見すぎることで、自分が得られる結果を求めすぎて、そもそも何のためにやろうとしていたのか見えなくなったりしているのです。その反動で他者が得ている結果に嫉妬し原因と結果の関係の中で原因を斜めに見て他者の得ている結果を破壊しようと左翼的発想が生まれてきます。

躁うつ病のごとく、判断を蛇行させているということ。

要するに、陰陽のバランスを崩しているということなのです。

やるべきこととやりたいことの調整を狂わせ、心の病む原因を造ったりします。

比喩で見て考えるということの一番重要なことは、究極、見えない存在である神（創造主）のことです。善悪の判断をするにしても、どうしてもそれぞれに自分の立場で考えた正しさが正義になり善悪を決めます。世界の紛争の元には、この正しさ同士がぶつかっているのでしょうが、客観的に見られなければ弱肉強食の動物的な正しさがまかり通ってしまいます。

もし、神も創造主も認めることができないというのであれば、比喩としてできるものを持ってこようという考えです。神仏の代わりに、究極の最高のジジババを持ってこようということ。対立する双方とも自分の子や孫であるなら、どのように裁定できるか考えることです。

ウクライナ戦争でも（p55）の図を使って事実を集め、それが真実かどうかを見極める作業をしながら、究極のジジババの視点で裁定するなら善悪は見えてくると同時にこれからどうしなければならないかが見えてきます。

今、西側の正しさだけという片目でしか見ていないから核戦争という危機が迫っています。これは人類全体にとっての危機です。

同じような問題が世界中に有り、気候変動問題で脱炭素が言われています。

しかし、二酸化炭素が地球温暖化の原因だという科学的事実が証明されたということを、私は見聞きしたことがありません。

それでも一方の正しさが当たり前になっています。もしこれが間違いや勘違いであったなら、脱炭素で起こる経済負担は世界にとって致命的なものになるでしょう。究極的な客観視を探るべきなのです。

論理的思考

やはり、物事を科学的に見ようとすれば、考え方の基礎になるのは論理性です（ｐ14とｐ15の図を参照）。その論理性の基になるのは、因果の法則や縁起の理法といわれるように原因と結果の流れでしょう。思ったような成果、より良い結果を出すためにも、この流れを正確に見なければなりません。それには、目的（理念、動機）とするものと、目標（結果として成果）とするものを明確にする必要があります。

この陰陽学では、「思い」と「行い」を陰（左目）と陽（右目）に分けています。両目で見るがごとく立体的に見る必要が有ると考えています。

「なぜ」と「どうしたい」のか、この二つの視点が有ります。目標である結果や成果ばかりを見て、そもそも、なぜその目標があるのか忘れてしまう場合が有るからです。これが目的と手段を間違えている結果主義、結果至上主義です。

また逆に、「なぜ」という目的、動機ばかりを強く見ていると目標としている理想像がゆがめられる場合が有ります。良かれと思ってやったことが現実にそぐわなくて思ったことと違ってくる場合が有るのです。

それが「地獄への道は、善意で舗装されている」ということわざです。

耳さわりの良い言葉で、優しくあろうとするのですが、その優しさが悪循環を生むことが有ります。もちろん戦略的に善意を装うことも有ります。

要するに蛇行現象であり、片目で立体的に見えていないために起きる現象です。そして、その蛇行現象が起きる原因を、深く考えていないからです。

深く考えられない根本原因は、「世界」を正しく見られていないからです。

自己を中心とし考え過ぎているのでしょう。

神なる存在を見ようとしない人が落ち込む穴です。

論理の基本は、５Ｗ２Ｈで表現されます。

５Ｗ２Ｈとは、When・Where・Who・What・Why・How・How much（How many）の７つの要素です。

見て、思い、行い、結果が出るという流れが繰り返し循環している。私たちは、何らかの幸福な結果を手に入れようとして生きています。それぞれの課題で理想的な成果が得られないなら、この７つのどこかが空白だったり、間違ったものを入れているということになります。

この私たちを取り巻いている社会では、善悪の判断が不可欠です。善悪は、人時所によって違う場合が有るので、この判定は難しく、道徳的な心の教えに深く入らない限り、善悪の判断が狂い、良かれと思ってやったことが逆の結果につながることが多く有ります。

本来なら「思い」の中に道徳が有ります（p61）。道徳は思想宗教から生まれます。戦後教育で、宗教は隅っこに追いやられ、ここが希薄になり、道徳的な心の教えに深く入ることが難しくなっています。結局、戦後、日本の弱体化のために思想宗教が隅に追いやられ唯物論の左翼思想が蔓延し、日教組などの無宗教が支配を広げてしまいました。この世界観が左側、要するに唯物論、無神論、無宗教だと、後のものは論理的に大きく影響を受けます。政治経済も大きく影響されることになります。

前提が違えば、当然ながら判断は影響され行動も違ってくるように、粘土で作品を作るときでも、粘土の種類や窯の種類や、構造の違い、作るものの違いで方法は変えなければなりません。薪の種類の違いでも灰の成分が変わるせいで表情にも違いが出てきます。そんな違いなら、好みも有るし、それが個性でもあり、工芸品などはそれでも良いでしょうが、人生とか政治とか経済の問題になると見過ごせない問題も出てきます。

要するに、あらゆる対立の究極の原因には、「世界観」の違いがあります。

突っ込んでいえば「宗教観」です。人生観であり死生観であり宇宙観であり、霊界の存在、創造主の存在に関する認識です。

反省するにしても世界観、宗教観が違うと全く違ったものになります。「ファクトチェック」とか言われていますが、何が真実なのか考えるにしても、ここまでチェックしなければ意味をなさないことになります。

世界を深く見ないで、見えている所ばかりで考える傾向の人は「どうやって」「どうなった」の「行い」の部分だけを見てしまいがちで、要するに「なぜ」という探求が乏しくなります。唯物論であり、無神論になりやすく、どうしても「結果」に振り回され結果主義、ご利益主義に引っ張られてしまう。

一番上の表面（手段・結果）しか見ないで判断してしまいます。

そして、見えにくい「思い」（道徳・理念）の所が希薄になるために非常に騙され易くなります。

この四つの中で重要なのが何かというと「ＷＨＹ：なぜ」（思い）の所であり、ここが人生の設計図となり基本となるスタート点なのです。

要するに、まともな宗教であれば、「心の教え」が不可欠であるのです。

何をどうしたかなどはその次に来るものです。

感謝の気持ちが布施になり伝道につながるということ。

高額なツボなどを購入し、高額な献金をすれば御利益を得て救われるなどとはダマシのテクニックです。お題目を唱えれば御利益があるなどということもミスリーディングに近いです。もちろん思いと行いは連動しており、行為から入ることも有りますが、前提には心の教えが不可欠なのです。

思いが変われば行いの中に込められた意味も変わり、行為の強弱も変わり、結局は思いの形に沿ったものへと変化します。

この七つの循環は「思い」を起点に循環し回転している。

愛を起点にして循環しているとも言えます。

私たちは、この愛の思いを磨き鍛えるためにこの地上に生まれ人生修業をしているとも言えるのでしょう。

この「思い」を磨くために不可欠なのは世界の見方です。人、時、所が違えば、同じ課題でも対応を変えざるを得ないように、人間、時間、空間に対する認識の違いで、そのあとのモノがすべて変わってくる。

例えば、死んだら全てが終わるという世界観と、死んでも魂は残り、来世、来来世が有るという認識では、当然ながら人生観も違い思いも違い、生き方も違ってきます。

世界観は、大きくは二つあります。

無神論・唯物論（見えない霊的世界を認めない考え）と有神論（神や霊的な世界を認める考え）に分かれる。細かくは無宗教・一神教・多神教・至高神（万教帰一）の４つに分けて考えることもできるけれど、無宗教は最悪です。客観視することができず神以外のものが入ってきやすくなります。自分に都合の良い視点しか入ってきません。この二つの世界観の強弱も有りますが、この二つの勢力で世界は、今、分断されていると言っても良いでしょう。

今、前者の勢力が強く世界を支配しています。その協力者たちも日本でも多くいます。祭司や神主、僧侶たちのような宗教に関わっている人たちですら、あの世を信じていない人が多数を占めているようなのですから無理もありません。さらに世界の政治的指導者で本当の意味で信仰心の有る人は少ないようです。

立体的に見るための５Ｗ２Ｈ

陰陽とは、右脳的なモノと左脳的なモノであり、片目では周囲が立体的に見えないように論理的思考も同じです。５Ｗ２Ｈでいうなら「思い」と「行い」が陰と陽の関係になる。

左目（陰）は思い、右目（陽）は行いと深く関連している。
また、陰である左目は他者を見る目であり、右目は自己を見る目。

これは、比喩での表現のように聞こえますが、単なる比喩では収まらないようです。

両目（複眼）で見るとは、見えにくいもの、他者や原因を左目で見て、右目では自己や結果を中心に見ている。この両目の視界が正しいと前頭葉で正確に処理されて正しい判断ができる感じでしょうか。

しかし、現代社会は右目中心で見る傾向が強くなっています。そのために自己中で結果至上主義となり、物事が立体的に見えにくくなり間違った道を歩むことになります。

この社会で起きることを正しく見るためには、右脳と左脳に左右の目がクロスしてつながっているように両目を使い見て考える事をしなければ、どのようなことも立体的に見ることはできません。立体的に見られなければ、距離感覚も狂い正しい判断もできなくなります。

頭脳明晰と思われている人の中には、左脳的にだけ優秀で右脳的な所が未成熟な人も多く、立体的に見られないために社会を蛇行させているようです。

現代社会の政治経済の中心にいるような人たちが、どうやら、左脳的な知性理性だけで考え、右脳的な悟性、感性で考える事ができなくなってしまったせいです。

悟性は、「思想宗教」と真理と深く関連するところですし、そこから感性の「道徳」につながる。戦前の反動も有るでしょうが、戦後の偏った教育のためにこのあたりの見えにくいものがさらに見えなくされました。

戦前は、道徳や宗教教育は当たり前だったでしょうが、GHQの日本弱体化計画で宗教や道徳を脇に押しやり、唯物論的教育を受けた人たちが次第に社会の中心になり、次第に狂ってきたようです。

左脳的なモノで社会が営まれるようになると、どうしても、目に見える表面的なことばかりで流れるようになります。その結果が、一時期アメリカをも経済力で追い抜こうとしていた勢いを、自らバブルつぶしを行うことになりました。

土地価格を抑えようとして政府が総量規制などで金融を抑え込み、金利の引き上げで経済にダメージを与え、それまで資産価値が膨らんでいた土地や会員権、債券などを強引につぶしてしまいました。

そして、今に至るまで経済の低迷を続けています。

その理由は、ある意味、左脳的なところでしか考えることができず、右脳的なところを無視していたからです。上面でしか考えられず、深く掘り下げて考えることができなかったためのようです。

国民の手に届かないような土地価格になって、庶民でも買えるような価格に下げようと、良かれと善意でやったのでしょうが、「結果」のところだけ操作すると、その前の「原因」にまで影響を与えます。

悪循環の流れを作ることになりました。

結果として土地や資産が高騰しているなら、それに見合ったもので埋めればよかったのです。バブルと言われたように中身が空気のようなものできちんと詰まっていなかったためにはじけてしまいました。ここには「信用」という目に見えにくいものが詰まっています。その思い込みの価値を潰すのは簡単でした。土地価格が上がりすぎたならば、その土地がさらに価値を増すように色んな規制を緩和し信用を補完すればよかったのです。

アンコのように中身（原因）を詰めることをすればよかったのに、その逆でその価値を壊してしまったために信用はズタズタになり、色んなものの価値は下がり国民を不幸にしました。国民を豊かに幸福にしようと思ってのことが逆効果でした。これも一種の結果至上主義だったのでしょう。片目でしか見ていませんでした。

その判断の間違いは、どこに有ったのか、このフラクタル陰陽学で理解できることになります。

四諦（苦集滅道）八正道

これは、玄明流の翻訳になるかもしれませんが、見事に関連し釈迦仏教の素晴らしさ、

行い・思い・世界③

行い **陽** 見えやすい 左脳的要素	**どうしたい** 目標・結果	理性 A B 反省	**結果が出る**	**正念・正定**
	どうやって 手段・具体化	知性 A 知	**行動して**	**正語・正業** **正命・正精進**
思い **陰** 見えにくい 右脳的要素	**なぜ** 目的・設計図	感性 B 愛	**思って（判断・動機）**	**正思**
	なにを 課題・客体	悟性 O 発展	**見て（認識）**	**正見**
世界 **陰** さらに 見えにくい 前頭葉的要素	**だれが** 人間・主体	**真理**	偶然に生まれた～ **神の子として創られた**	
	どこで 空間		この世だけ～ **霊界は有り、天国地獄も有る**	
	いつ 時間		死ねば終わり～ **魂は永遠に転生輪廻する**	

凄さをさらに実感させられることになりました。

四諦《したい》（苦《く》集《しゅう》滅《めつ》道《どう》）八正道とは、原始釈迦仏教において釈尊が悟りを開き獲得した考え方です。それを釈迦の弟子たちに指導することで悟りを深め、周辺諸国の政治経済から、人々の人生に対しての救済力は増していきました。

その結果、仏教は世界中に広がり、中国文化が最高に繁栄する「唐」の時代を産み出したのです。ただ、不殺生（殺すなかれ）という教えも有ったために、イスラム教などの聖戦をうたう勢力につぶされ、発祥の地インドでは片隅に追いやられることになったようです。

この四諦・苦集滅道八正道の教えは、

現代社会にも通用することであり、論理的な思考の中にぴったりと納まり、良い循環を生み出すために不可欠なことです。

まず、四諦（したい）とは何かというと、４つの真理のこと。

「苦諦」とは、四苦八苦という教えが有るように、現実を見れば様々な苦しみがこの世の中にはあり、そのことを受け入れること。

生・老・病・死という四苦が有り、

愛別離苦（あいべつりく）　愛する人と別れる苦しみ

怨憎会苦（おんぞうえく）　嫌な人に会う苦しみ

求不得苦（ぐふとっく）　求めるものが得られない苦しみ

五蘊盛苦（ごうんじょうく）識、受、想、行、識から生まれる煩悩が尽きない苦しみという八苦が有ります。

人として生きるということは、これらの苦しみの中を生きていることを理解する事。そして、「集諦」とは、その原因を知り、「滅諦」でそれを解消するためにはどうすれば良いかを考えること。

その為に「道諦」、道に入ること。この道とは八正道です。

現代的には十正道として、正信と正解脱が前後に加えられることも有ります。

八つの正しい道とは、正見（見て）、正思（思って）、正語、正業、正命、正精進（行っます。

　そして、これをまた別の言葉に置き換えると、発展・愛・知・反省の教えともリンクし
て）、正念、正定（結果が出る）。

　この八つの道は、フラクタルの森の表に入れると四つに分けることができます。

　そして、これをまた別の言葉に置き換えると、発展・愛・知・反省の教えともリンクします。


　当然のことながら、ここで言われる「正しさ」とは、神仏から見ての正しさです。正しく世界を見て、正しく課題を見ているか、正しく神のような意識で思っているのか。その思いは恥ずかしくはないか、そして、正しく語り正しく仕事をし、正しい人生を生きようとして、正しく精進しているか。正しい未来設計をして、正しい反省の時間を取っているか。

　釈迦の弟子たちは、日々、定に入り反省をして、自らの心の中を見つめ神仏の思いに反したところが無いかを点検していたようです。


　この八正道は、釈迦仏教の基本のようですが、一般的には難しく哲学のようになってしまい、座禅したり念仏を上げたりすることで救われるというように簡単な教えになってしまいました。

　その心の教えを簡略化してしまったせいで、伝統宗教も堕落し、新興宗教の中にもダマシの論理が簡単に入ることになります。

人に道徳が不可欠なように、心の教えが不可欠なのです。

国家神道も神仏混合で心の教えを仏教で補完していたのに、明治時代に廃仏毀釈で捨て去ったために日本の正当性が消えたのかもしれません。

神道が世界宗教にならなかった原因は、心の教えが希薄で天国地獄の概念もなく、要するに善悪の規範もあいまいだったためのようです。

道徳は思想宗教から来ています。戦後教育で道徳や宗教を排除してきたためにバブルをはじけさせてしまうようなことを簡単に許してしまうのです。

重要なのは、右脳的な心の教えであり「思い」の中身だということが論理的に考えればよく分かります。

第3章　不思議な関連性

人間の頭を輪切りにフラクタルの森と重ねる

次頁の図のように5W2Hを人体の左脳、右脳と関連させることにも合理性が有ります。脳と目が無限大マークのようにつながっていて、象徴的にではありますが、人はこの中で循環させながら考え行動しているようで、その形の中に世界を正しく認識し、生きていくための秘密がある。

後で気づいたことですが、この図は仏教などで見かける曼陀羅にも似ています。中心部分に仏がおられる場所であり、脳の構造の前頭葉に当たる部分が関連しているようです。

この宇宙の全ては陰と陽で成り立っているとも言われていますが、左脳的な知性、理性（陽）と右脳的な悟性、感性（陰）で構成され、この両方を使って考えなければ物事を立体的に見ることができない。フラクタル（自己相似形）として言うならば、何事も二つのことで成り立っているとも言えるでしょう。両目（複眼）で見なければ正確に物事を見ら

フラクタルの森の道　仏教的視点

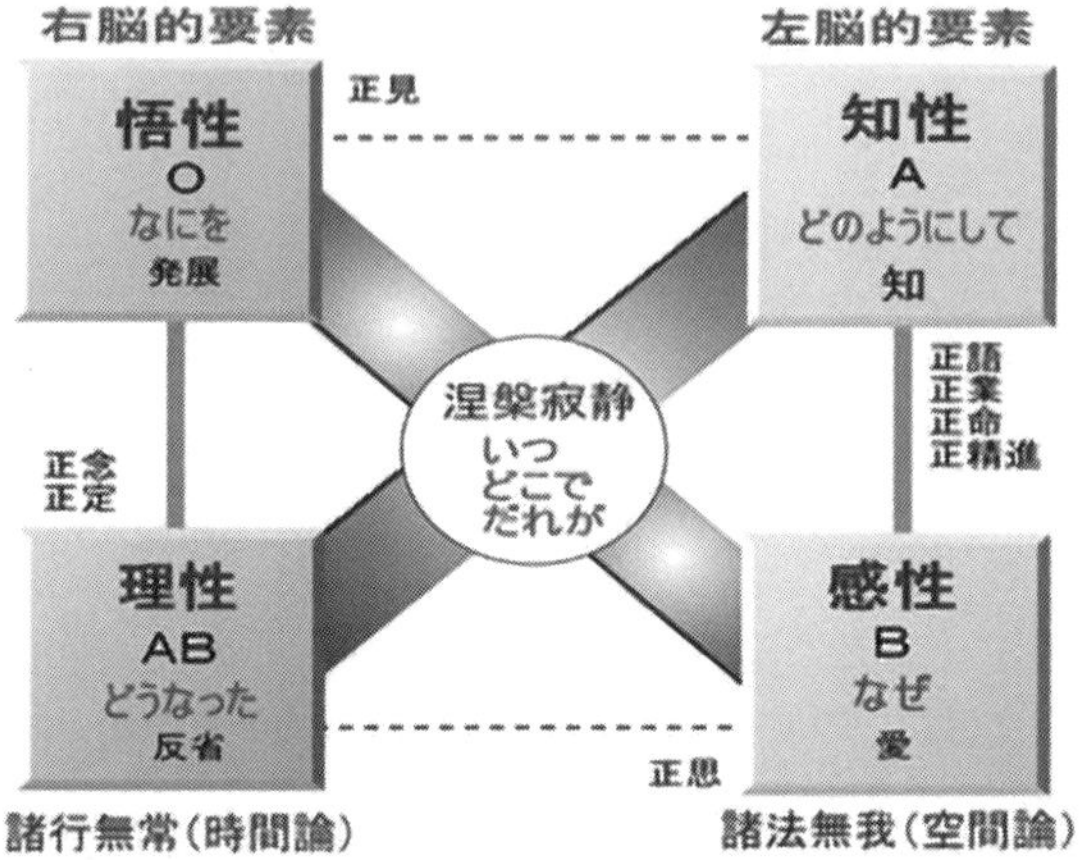

れないとも言える。

歩くにしても足を左右交互に使わなければうまく歩けません。

成功の中に失敗の種が有り、失敗の中に成功の種がある。

常に複眼で考えなければ、バランスを失い、躁うつ病の如くに蛇行する。

他者の意見と自己の意見が食い違う場合、他者の価値観と自己の価値観が違う場合、両方の立場で考える必要がある事。もしかすると、陰と陽、左右のバランスが取れている時、額に有ると言われるチャクラで考えているのかもしれない。

ここが非常に重要な場所であり、神仏の視点で見ている場所かもしれない。

仏教にある三法印の諸行無常（タテ軸・時間論）と諸法無我（ヨコ軸・空間論）のクロスする場所に位置する涅槃寂

静の境地でもあるだろう。

物事を科学的に見るならば「論理性（タテ軸）」と「客観性（ヨコ軸）」が何事にも絡んでおり、論理的に考えるためには5W2Hの7つの要素を細かく見る必要がある。そして、より客観的に見るためには、自と他を離れ創造主、神仏の視点、全体の視点が不可欠です。

この図は、ピラミッドの形とも相似形を成し、個人も会社も国家も地球も比喩として考えるなら、ある意味、このピラミッドが集まってできているとも言えます。すべてはフラクタルなのです。

フラクタルの森のピラミッドは、経済のことなど考えるのにとても分かりやすく、立体的に見えてきます。

どんなことにも4つの要素がある

記事などを書く時、正確に表現するには5W2H（p15）を細かく押さえる必要が有りますが、主体によって翻訳が微妙に違ってきます。

難しいのは、世界をどう見るかです。現象世界、現実の世界は、見えているので比較的簡単ですが、見えない世界は困難です。心象風景でどのように見ているかで、本当は記事

運を良くする重点項目

陰・右脳的 感覚的判断		陽・左脳的 理性的判断	
O	**B**	**A**	**AB**
悟性	感性	知性	理性
なにを	なぜ	どうやって	どうなった
課題、テーマ	思い、目的	行動、手段	結果、目標
仕事	生産	代金	所得
企業	社会貢献	具体化	利潤追求
発展	愛	知	反省
正見	正思	正語・正業・正命・正精進	正念・正定
報いあり	種が蒔かれ	水をやり	果実が実り

の内容が大きく違ってくる。

基本、ここが無視されて話は進みます。

前提が違えば、対応が変わらざるを得ないように後のモノに違いが出てきます。色んな思想信条が有りますが、この違いが人生観の違いとして根元にあるもので、その探求が本当は不可欠なのです。

ただ、ここがどんなに違っていても、4つの要素は何事にも付随しているので、ここを間違えることがなければ、大きく道をそれることは無いかもしれません。

フラクタルの森の陰陽学では、血液型と関連させ、それぞれの特性と関連付けられているものとは似ています。もちろん直訳してもらっては困るのですが、この陰陽学を理解するのに参考になるので、関連することを並べています。

フラクタルの森では、お遊びで運を良くするクジとして血液型の書いてあるカードを引いてもらっている。そこに注目することで運が良くなるという発想です。簡単に言えば、その血液型の個人やその特性に学ぶということで、迷った時など、あみだクジなどで簡単に占うことができるので試してください。

血液型

血液型にも陰陽がある。

血液型は、大きくはＯ・Ｂ・Ａ・ＡＢの４つに分けられます。

血液型と性格が関連しているという考えに違う意見もあるし、これが、５Ｗ２Ｈに関連することに疑問を持たれる方も多いでしょう。もちろん、血液型だけで人の性格が決定されるわけでなく、それぞれの人生の中で性格は創られていきますが、この血液型は性格に大きな影響を与えているようです。

それ以外にも影響を与えているものに星座もありますが、これも４つのグループに分けられて占星術で使われたりします。そして、人の体を創っているＤＮＡという遺伝子があり、４つの塩基で描かれている。これは、設計図に当たるものです。昔から興味が有り、人の血液型と星座を当てることが得意でした。もちろん、次に挙げるような傾向性をもとにして推定していただけですが、血液型での読みが違えば星座が修正してくれたりしていました。

O型とB型は、陰であり右脳的なもの（空間軸）と深く関連します。

こちらは、情、「好きか嫌い」で判断する傾向が強く感覚的です。

A型とAB型は、陽であり左脳的なもの（時間軸）に関連します。

こちらは、理、「損か得か」「プラスかマイナス」を判断の中心に置く傾向が有ります。

陰と陽の対立する関係が相性の悪いもののように言われますが、私が得た統計では、逆にこの組み合わせが夫婦で多いパターンでした。どうやら、右脳左脳の両方で考えるように夫婦で陰陽のバランスを取り、刺激しあい、足りないところを補い合おうとしているかのようです。

どうやら、血液型は相性の善し悪しにはまったく関係なく、その組み合わせの個性にしかすぎないようです。

陽と陽、陰と陰、同じ血液型の組み合わせも少なくはないのですが、どうやら、同じ傾向性で力を倍加して事に当たろうとしているのかもしれません。そのためなのか対極に有るような人たちとの縁が深く、多くの人と関わるようなご夫婦が多いような気もします。

陰と陽、対極に有る血液型であれば、個性の違い故に、反発しあおうと思えば簡単ですが、その個性に尊敬しあえる面があれば、非常に良い関係のようです。逆に、個性の違いを認めないような時は、自分自身が自己中でちっぽけな存在になっている可能性があるようです。

　これは、社会全体にとってもフラクタルの森の4つの要素が大切であり、この4つの要素がうまく機能して循環し、より良い理想的な成果を得ようとすることと一緒のようです。大きく分けてみれば陰陽の二つですが、それこそ、フラクタルです。

　これは、右手（陰）と左手（陽）の関係でもあるようです。

　これは、粘土で作品を作る時によく分かりますが、片手ではうまく作れません。茶碗を作るにしても両手が協力しなければその器はドンドン広がっていきお皿のようになります。右と左の手がお互いに協力し合うことで、片手で薄くした粘土が次第に立ち上がり高さを増してきます。このように、力学的な面にも陰陽の十字架が有り、ヨコ軸とタテ軸があり、両方が協力しなければならないようにできているようです。

　片手で粘土と粘土を接着させたり、積み上げたりする時の力の入れ方も同じです。タテ軸とヨコ軸、両方の力が働かなければうまくできません。

　ひねりを加えるということにもなるようです。

　イメージとして分かり易いのが、軽トラックで足先を踏まれたとして、ただ通り過ぎただけなら痛いだけで済むかもしれませんが、足の上でブレーキを掛けられると無残なことになります。

血液型の性格を説明するにあたり、最初に明確にしておかなければならないのは、Ｏ型の悟性についてです。悟性とは、悟りの性質と書きますが、これは、Ｏ型が悟っているというわけではありません。ただ、人間としての悟りの部分がシンプルに分かり易く出るということです。

どういうことかというと、「お役に立ちたい」という理念が心の中に在る。

その理念が幸福感に大きく影響し、Ｏ型の人はシンプルにその思いが前面に出るために、損得を超えて面倒見が良いのです。

この「悟性」の中心に在る「お役に立ちたい」という理念は、人間に与えられている究極の本能でもあるようです。

その理念が個性を持ち、他の血液型の中にも在ります。

人には、悟性、感性、知性、理性の４つの徳分が有るといわれています。

Ｏ型は悟性、Ｂ型は感性、Ａ型は知性、ＡＢ型は理性です。

どういう事かというとそれぞれの持っている徳分が、それぞれの個性として前面に出がちだということ。もちろん、その他の徳分は、その人の側面に有るけれど、その人の前面にその特徴的な徳分があるということです。その人の努力などによって、そのウエイトのかかり具合は違うけれど、そのような傾向が有ります。

OとBは、陰（右脳的、感覚的空間的要素）

O型とB型の人は陰の要素が強く、こちらのタイプは、感覚的と言ってもよく、ハートで考える傾向が強いのです。目の前の損得で物事を考えるよりも、どちらかというと感覚で考える傾向が強いでしょう。

気に入ったら損得抜きでとことん付き合います。欠点としては、情に流されやすい面があるかもしれません。どちらかというと論理性よりも、好き嫌いでの感覚が先行しやすくなりがちです。

AとABは、陽（左脳的、論理的時間的要素）

A型とAB型は、左脳的ですので、目に見えやすいもの、論理的なものを中心に見がちです。知覚的でしょう。

プラスかマイナスで判断しがちです。

欠点は、損か得かで見やすいために冷たい感じになりやすいかもしれません。

もちろん血液型の要素だけで人間はできているわけではなく、その人の努力精進やその育まれた環境、その思想の中でそのウエイトのかけ方も違ってくるでしょうから杓子定規に見ることはできません。

■Ｏ型（悟性）

悟性のＯ型は、特に面倒見が良いタイプでしょう。

この徳分の中で、Ｏ型の悟性について一番イメージしにくいでしょうが、悟性とは書いて字の如く人間の持っている悟りの性質です。

ＡＢＯ分類の検査でもＡとＢに分類される物質が含まれていないということのようですが、それが無いということは、人間の持っている悟りの性質が邪魔することなくストレートに出してきます。

このＯ型の人は、政治家に多く「お役に立ちたい」という、人の持っているその存在意義とも深く関連する意識が前面に出ます。そして、お役に立つ存在だということを確認したいという傾向が強く、その「存在意義」を確認したい気持ちが色んな所に現れるようです。

植物を育てはぐくむことにたとえるとすれば、Ｏ型の人は畑、大地のような人とも言え、面倒見が良く、その大地に落ちた種は、何であれ育んでくれます。

欠点は、なわばり意識が強いという面も持っていて、頼られなければ気分を悪くする面も有るでしょう。基本的にそれぞれの血液型でも「お役に立ちたい」という意識が強く出ますが、ただ、それぞれの持っている要素に応じて屈折して出てくる場合がある。自己中で結果至上主義（片目だけ）に陥ると結果を出すための努力を省いて成果（評価）だけを得ようとする傾向は誰にでも有ります。

■B型（感性）

感性のB型は、まさに感性の人です。種のようでもあります。種の行動パターンは、綿毛で風に吹かれて飛んでいったり、人にくっついたり、はじけて飛んだり色んな動きをします。

BはAと比較されることが多いですが、確かに対照的です。Aとは違い、何も無いところから、感覚的になにかをひょいと引き出してくるような所があります。このタイプが結果至上主義（片目だけ）になるとどうなるか、好き嫌いが判断の中心となりがちですから他の人より自己中と見られる傾向が強くなるでしょう。特にA型の人からは、そのように見られるかもしれません。

■A型（知性）

A型は、知性の人です。もちろん知性が高いというわけではありません。情報通と言っても良いかもしれません。

植物を育てるときの、水やり肥料やりを適切にしてくれる感じです。

データーに従い適切な処置をしてくれます。B型と違って無い所からひょいと引っ張ってくるということは苦手なようですが、頑固になるとそれなりに確固とした情報を背景に持っているせいなのか独特な頑固さが有ります。

B型の頑固さとA型の頑固さとは少しタイプが違うようです。

もちろん、人間は血液型だけでできているわけでもなく、色んな要素が絡んでいるので単純ではありません。

■AB型（理性）

AB型は、理性の人です。

AとBの両方の要素があるように、バランス感覚はいいようです。

しかし、バランスを失うと逆にそれがあだとなり、優柔不断になる面も有ります。植物でいうと果実の部分にあたるでしょう。

花が咲き、果実が実り、そのできた結果をどうするのかというような所でしょうか。利用できるところを色んな所に活用します。その成果を大地に返し、大地を肥やしていきます。

このように、血液型にも4つの要素が有るということは、社会全体を色んな個性の人達が、それぞれの特質を活かしこの世の中を素晴らしくしようとしている姿と同じではないでしょうか。それぞれの個性を活かしお役に立ちたいという理念が、良い関係を結び活かされ良い循環をした時に素晴らしい社会ができてくるのだと思います。

この四つの要素が基本的に陰と陽に分かれ循環して、協力し合い色んな事が成り立っているという仮説が的をえているならば、人生も政治や経済もその循環を調整できてより良いものになるのではないだろうか。

中でも経済という課題は、すべてに深く関わり問題解決の基本にもなると思います。

フラクタルの森とピラミッド構造

フラクタルの森を比喩的に立体的に見ると、次頁の図のようにピラミッドの形になります。この宇宙全体も、このような小さなピラミッドが集まってできているとも言える。個人や企業、国家も、様々なピラミッドが集まり大きなピラミッドを構成する。それぞれが、「仕事」という課題に取り組んでいます。

今、世界（地球）は、みすぼらしくなっているように見えますが、その一番大きな原因は、その中で主体となる人間の問題だろうと思います。主体を政府に置き換えてみても同じことで、大きな政府は天からの光を遮ります。自分という主体が大きくなり過ぎて、要

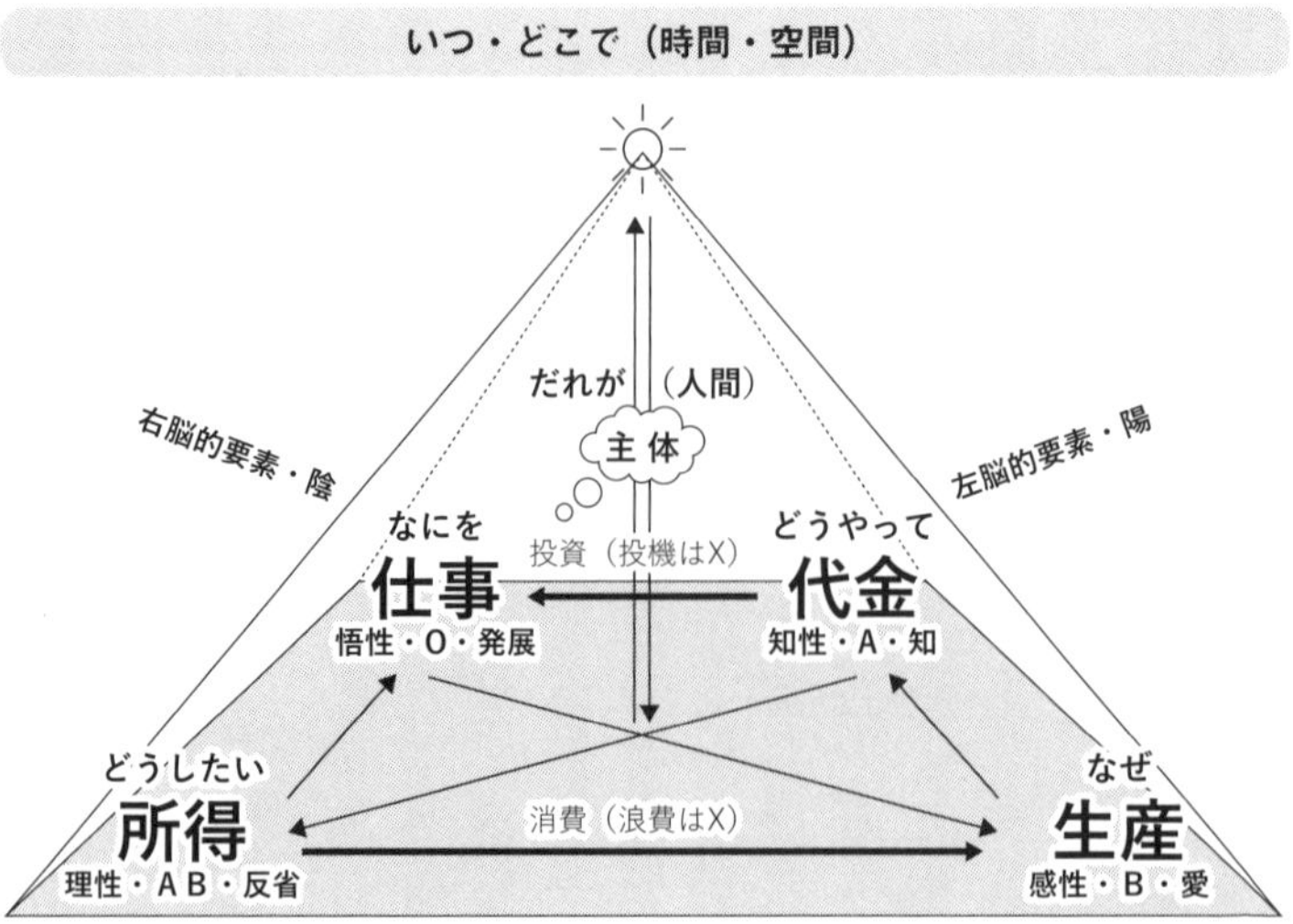

するに自我が大きくなり天からの光が降りにくくなっているのです。

　そのために全体としてのピラミッドがみすぼらしくなっています。

　人は命を維持している間は、霊糸線という細い線が後頭部からつながっていてその線が切れた時が、本質的な死であると言われています。

　どうやら、この霊糸線は双方向で情報が流れ、神（創造主）の神経組織のようなものであり、私たちの魂への神の光エネルギーの供給ラインなのかもしれません。その主体が肥大化して、この神からの光をブロックするようだと不都合なことが起きるようです。

　自然界でも程よく光が降り注ぎ、水が蒸発し、雨を降らせ大地を潤し循環し、緑は生い茂り、生き物たちの命の連鎖が保たれている。

国レベルでの経済の循環も同じであり、国家の主体である政府が肥大化し、信仰心が薄れ、神の光が射しにくくなっているために、自分たちが、神に成り代わろうとしている。私たちの体内で一部の細胞が全体を無視し、ガン化して肥大化しようとしているのと同じだろう。本来、正しい循環が成されていれば、自浄作用で事なきを得られるのでしょうけれど、自我が強くなりすぎると、表面的な結果にこだわるようになる。左脳的な部分、行いと結果ばかりを見るようになり、右脳的な思い、そもそも、それが何であるのかを問題にしなくなるようです。心を素直に透明にして、神の声、天の声を聴き、それぞれの体内に光を流して行くべきです。

「なに」という課題に「仕事」を入れて考えてみましょう。

人とは、必ず何らかの仕事をしています。存在している以上何らかの価値が有ります。その人々の営みである仕事は、たとえ見える形で代金が生まれなくても、その価値はこの世界に生み出されています。見えない世界にそれは誕生し、それが見える姿になって姿を現すのが評価であり、その対価です。

その仕事から生まれる生産物に本当の価値が有れば、賞賛や感謝が生まれ、その対価も必ず生まれてきます。そして、それは循環して働くことになる。

この右脳的視点（陰）と左脳的視点（陽）の両視点で見るということは、原因と結果の両方を見ていることでもあり、他者と自己との関係でもあり、客観性に見ることにも通じます。この4つの循環が悪くなるとマイナススパイラルを起こし衰退する。個人だけでなく政府、国家レベル、地球レベルで見ても同じことが言えます。

今、世界は大きなインフレ状態で供給が滞り価格高騰が起きています。その原因が何かというと二つの面が有る。一つは「生産」の面と、もう一つは「代金」の問題です。要するに世界の物流と価値の交換手段が混乱しているからだと思われます。

今、これらの原因には、ロシアに対する経済制裁に有ると思われます。

バイデンは、単純にも経済制裁でプーチンを追い詰められると考え、禁輸措置や商品決済にまで規制をかけました。世界の重要な資源国、食糧生産国の仕事に無理な制裁を加えて世界の循環がうまくいくはずはありません。地球全体を一つのピラミッドとして見た時に、その循環を積極的に壊したら、その害は全体に及ぶことになります。

さらに、ウクライナへの軍事支援で莫大なドルを投入している。これは、アメリカ国民の税金であり、もちろん、軍需産業の景気は良くなるだろうが、アメリカの資金がウクライナの武器に変わり、ウクライナの軍事力を増やすことでどんな価値を生み出すのでしょうか。他にもバイデンの政策は、国内のバラマキで財政出動を強めている。これは、生産につながらない代金（資金）の供給であり、良い循環には貢献しない。福祉も充実させ働かなくても補助金だけで十分生活できるようになることで失業者を減らし、求職者が減っているということのようだ。労働人口を減らし供給能力を減らし、気候変動対策と言って国内の資源エネルギーにもブレーキをかけて、これで安定した循環が得られるわけがありません。ブレーキとアクセルを間違え、ハンドル操作を間違えている原因は、動機に問題があり世界観（宗教観）に問題があると思われます。

国家も個人も信仰心が薄れ、心の中に黒雲が大きく広がり、神の光が射さなくなり、作物が育ちにくくなっているようなものです。心を素直に透明にして、神の声、天の声を聴くべきでしょう。

簡単にいうなら「複眼（両目）で見る」ことです。
関連する時間的論理性（左目）と空間的客観性（右目）で考えることでより科学的考察ができると思う。

ただ、その前提条件には、太陽のマークで示している所、神仏の視点とも言える場所で考える必要がある。この場所は、人体に照らしてみると前頭葉に当たり、霊的にチャクラが有ると言われている所で第三の視点に当たるようです。神の視点での正しさを求めるという謙虚な姿勢が不可欠になるでしょう。

人は、どうしても思慮深くあろうとするのだけれど、自分の視点だけ、しかも、浅い視点（片目）で見てしまいます。そのために、大手メディアなどから流れる情報の暗示を受けて偏った情報を簡単に自分の認識として取り込み、それを元に様々なことを評価し、間違いを犯す。

人が思い行動を起こす原理は、二つのことが関わっている。

右脳的感覚的判断での好き嫌い、感情での判断と、左脳的知覚的判断での損か得かの理性的な判断、この二つの物差しで人は動いています。

人を動かす場合、もちろん、自分自身を動かす場合でも言えることですが分かり易く表現するなら、インセンティブに関わり、アメとムチの使い方に関わる。要するに、褒美と罰だ。汚い表現をするならスカシとオドシである。

この二つが二重螺旋の如く絡みながら向かう先が決まってくるでしょう。

好き嫌いは、どちらかというと本能に近く、損得は、経験が影響するだろう。

例を挙げるなら浮気の問題で説明すると分かり易いかもしれない。基本的には、だれでも本能として子孫を残すための性的欲求があり、この本能は強く与えられている。しかし、それだけを開放して前に進み、浮気などしようものなら、人間社会では、後でしっぺ返しが帰ってくることは間違いない。

そのことで懲りた経験が有ればブレーキがかかるが、それでも懲りない人もいる。それとは逆に、最初から理性的に行動する人もいる。

人が幸福になる根本には、二つの要因があります。

自分がやりたいことが自由にできているということと、もう一つは、そのことが他者から賞賛を受け、結果、その報酬としてお金などを得ることができた場合です。ただ、結果として得られるモノの威力は大きく、多くの人が、どうしても魂を売ってまで結果を得ようとする場合があります。

「企業の目的は、利潤追及」だという間違った考え方もここに原因があるでしょう。片目でしか見えていないのです。

本当の喜びは、その原因のところにあることを忘れがちなのです。お役に立つことと言えば簡単ですが、その存在意義とも関わってきます。

目先の成果ばかりに引っ張られ、自分自身をごまかしていたとすれば、本来の神性、仏性を持っている自己を裏切っていたとすれば、その結果を得るために悪事に関わるようなことがあったならば、それに気づいた時にどのような自責の念に襲われるでしょうか。それでは、本当の幸福とは言えないでしょう。

おそらく、私たちの魂の成長を創造主たる神は願われているのでしょう。したくて、するべきこと、この両方をどうやって構築するかだと思うのです。

（参照：フラクタルの森「思考の構造」ｐ26）

しかし、ここで深く考えなければならないことがあります。左脳的思考の中で、科学的、論理的に考えるときに起きる問題です。どのようなことでも、前提条件が違えば、違った答えが出ます。条件の違いは、「いつ、どこで、だれが」の所です。

現象世界の人時所の違いは言うまでもありませんが、問題なのは心の世界、心象世界の違いが問題なのです。現象世界に比べて、この心象世界は人間の数だけあるのかもしれません。私たちが生きている世界がどんな世界なのかということ。大きく分ければ二つの世界観が有ります。次に挙げる図の左右の違いです。

もし、死ねば全て終わりの世界なら、もし、死んでも魂は残り転生輪廻している世界なら、心の態度を変えざるを得ません。もしあの世もなく神なる存在も居ないのならば、やりたいことを我慢する要素は限られてきます。法律で罰されることが無いように、人に知られることが無いように、罪に問われることが無いように自分に不利に働くことが無いように気を付けて、やりたいことを何とか実現しようとするでしょう。この考え方を取ってしまうのが、ＤＳとかグローバリストとかネオコンとか言われる人たちの持っている世界観でしょう。これが自己中心で結果至上主義の人たちの基になっている世界観だと思います。

もしも、あの世が有り、天国、地獄が有るとするならば、この人たちが、死後、行かなければならない世界は、地獄の可能性が高いでしょう。多くの世界宗教が説いている以上、この天国、地獄が有ると考える方が妥当ではないでしょうか。今、地獄に行く人が半数以上、大きく超えているとも言われています。私も次の図を使ってアンケートを取っていますが、過半数の人があの世は「無い」という方を選びます。

この図の基になるような「白紙の上で考える」ことを三十歳のころに考えた時には、答えは「わからない」でしたが、結論は、おそらく「あの世」は有るだろうでした。この死後の世界の有無が、その世界観の違いが、大きく世界を二分しています。厳密にいうなら次の図が、全ての根幹にあると思います。

意識しようがするまいが、論理的に考えればこの選択で未来は影響を受けるのです。

死後の世界の有無

これは深く考えると、避けて通ってはいけない課題です。

私たちが生きている世界が、どんな世界なのか？

身の回りの見えている世界だけを見て、世界を全て知っていると思うならば、あまりにも不遜であり、あまりにも愚かだろうと思う。

「大切なものは、目に見えない」という言葉も有る。目に見えていない世界をどう認識するか。死後の世界が有るのか？　創造主がおられるのか？

死後の世界の有無

現実	無い ←── ◎ ○ △ **?**	△ ○ ◎ ──→ 有る
事実	・唯物論、無神論者の存在 ・中国共産党や北朝鮮、共産主義の世界観 ・左翼、リベラル、高学歴の人に多い傾向がある	・宗教、宗教者の存在 ・世界宗教には、天国地獄の世界がある ・幽霊話や色んな霊体験が世界中に有る
真実なら	・迷信であり、神という霊的存在など無い ・宗教は金儲けの道具 ・宗教は大衆の麻薬、心の弱い者たちの避難場所 (麻薬中毒患者を政治に関わらすべきではない) ・中国共産党の宗教弾圧にも正当性がある ・苦しければ自殺すれば楽になる ・やりたいことを我慢する意味が希薄になる ・生きているうちに結果を出せなければ無意味 ・自分を神(主)としてしか考えられなくなる	・**神**なる存在もある(悪霊、悪魔、幽霊も) ・天国や地獄という世界が有る可能性が強い ・仏教でいわれる善因善果、悪因悪果が死後の世界で完結されることになる ・自殺しても苦しみから逃れられない ・宗教が人生不可欠の教養になる ・昔、大学が神学から始まったこともうなずける ・努力は無駄にならない ・誠実に生きることが是とされる

私たちが生きている世界がどのような時間と空間の中に浮かんでいるのか？

何でも前提が違えば違った対応をするように、世界が違えば考え方も行動も違ってくる。一番大きな前提条件の違いが、この死後の世界の有無だ。

この違いが、思想信条、人生観に大きく影響を与え、どれほど綺麗ごとを言ったとしても、この違いは、人の一生に大きく影響を与えてしまうでしょう。

仮に、死んだらそこで全てが終わりで、霊的世界も無いのなら、神仏なる存在も在るわけはない。もし、それが真実なら、宗教など気休めであり、宗教の存在自体、その教え自体、忌まわしい絵空事でしかない。

マルクスの言うように宗教が「大衆の麻薬」であるなら、宗教者などシャブ中毒患者であり、そのような人たちに大切な政治など任せられるわけも無い。

宗教などは管理し制御すべき対象であり、中国共産党のやっているイスラム教やチベット仏教に対する宗教弾圧にも正当性が有るでしょう。

霊的世界が、有るか無いか？　その現実としての認識は様々ありますが、真実は一つです。霊界が有るなら神なる存在も在る。創造主も存在する。

神有りの世界と神無しの世界、これは、ある意味、丁半博打のようなものです。多くの人が、神無しの世界を選ぶなら、この世界は次第に地獄的な世界へと向かう可能性が強いでしょう。もし、あの世も有り神も存在したならば、生きていた時に成した罪の償いをどうすれば良いのか。地獄と言われる世界が現実に待っているのかもしれないとすれば、恐ろしいことです。

あの世など無いとすれば心配することなくやりたいことをやれば良い。ただ、丁半博打的に言えば、有ると思って生真面目にやっていた方が得です。目先で損かもしれませんが、本当に有った場合、後悔しても遅いでしょう。

無かった場合は、共に消えて無くなるだけですから関係ありません。

有れば、大変です。

創造主（神）の存在

現実	存在しない ←── ◎ ○ △ ?	△ ○ ◎ ──→ 存在する
事実	・無神論者の存在 ・過去、創造主や神の存在を証明しえた人は居ない ・神や霊存在は非科学的として否定されている ・世界中に不幸が野放しになっている ・ダーウィンの進化論が常識だ（突然変異と自然淘汰の結果、適者生存して進化した）	・宗教（家）の存在 ・「大切なことは目に見えない」ということばが有る ・生命にもＤＮＡという設計図が有る以上設計者の存在が推定される ・生命が化学反応だけで偶然に出来ることなど無理 ・地を這う生物が自然（偶然）に空を飛ぶようになることも不可能
真実なら	・宗教はまやかしであり、気休めでしかない ・各自が主となり、神となっても当然だ ・全ての存在は、偶然の産物であり弱肉強食の世界であるからには強い者が弱いものを自由にする道理がある	・宗教が人生不可欠の教養になる ・何事も隠し事が出来ない可能性がある ・誠実に生きることが是とされる ・神の願いを忖度する必要が出てくる ・親が子や孫に願う気持ちと似ている可能性がある

創造主の有無

　私自身、死後の世界が有るか無いかは、行ったことも無ければ、臨死体験も無ければ、霊的な能力も無い為に、ただ信じているしかすぎません。

　しかし、冒頭で説明したように、この創造主の存在を考えた時に、死後の世界、霊的な世界が有るだろうという確信に至る。

　その理由は、非常に簡単だ。私は、土から色んな器を作る。その時に何が必要で不可欠なのか、その過程を考えると見えてくる。どんなに材料や道具がそろっていても、ただ一つ、絶対必要十分条件がある。

　それは、作ろうとする思い。欲しいと

いう願い。そのイメージが無ければ、不可能なことです。
土で作られる器であっても、そのイメージ、思いが不可欠なのに、この人間の体を考えてみても、これほどの高機能の肉体が偶然に進化して出来上がってきたとするのは、あまりにも思考停止でカルト教の如くある。
無宗教のカルトだとも言えるだろう。

地を這う生き物が空を飛ぶようになるために何が必要なのか考えると、もっとはっきりとしてくる。空を飛ぶための体（ハード）と技（ソフト）、両方がそろわなければ飛べるようになれない。その両方を獲得できるまでに、どれだけの突然変異を繰り返せばよいのか、どのような偶然がどれだけ重なり、変異を失敗せずに成功させれば可能なのか、その過程をイメージすることができるだろうか。

生物である以上、一回でも間違えばゼロからやり直す必要がある。丁半博打で常に勝ち続けなければ、進化という結果は獲得できないだろう。進化と退化、両方が有る。何者かがそのように思い、イメージを投影しなければ無理です。

こんな単純な理屈を無視して、ダーウィンの進化論を信奉している人たちの頭の中、その論理の積み重ねはどうなっているのでしょうか。カルト宗教の信者だということを証明しているだけではないでしょうか。

創造主（神）の願いを知る

陶芸作品に陶芸家という創造者が居るのと同じように生物にも創造者がいる。粘土で作られた器にも作者の個性が映り込むように、もちろん、人間にも動物にも植物にも映り込んでいるだろう。

コロナウイルスも、どうやら創造者である人の手によって作り出されたもののようだ。変異種の遺伝子を見ても、先に在るものが偶然に変異してできたものではなく、明らかに創造者の意志が働き操作されたものが多くあるという。偶然で変異する確率はゼロに近いという。

創造主たる神の子である以上、限定的な創造者としての力が人には与えられていて、それが神性、仏性といわれるものだと思う。創造主、神の思いが有ってこの宇宙はできているのだろうし、神の願いが有って私たちの肉体も魂も創られているのだろうと思う。

現代社会は、この世に生きていてその神の願いが判らずに混沌としており、自らの手でこの文明を滅ぼそうとしているかのようにも見えるのが現状ではないだろうか。要するに善悪の判断がつかなくて、政治経済も蛇行させている。

その善悪を知り、神（創造主）の願いを知ろうと思えば、簡単だと思う。フラクタル的に言うならば似ているはずだからだ。神と人間は似ている。

私たちの心の奥底に、仏性が有り神性があるならば、本来、私たちはそれを知っているはずなのだ。それを思い出す方法はあると思う。

子を持って知る神の願い

初めて子供をさずかり
子育てをして親の苦労を体験すると
「子を持って知る　親の恩」ということわざが浮かぶ
子育てをしながら、信仰の世界で学び続けると
「子を持って知る　神の願い」というイメージが浮かんでくる

現実には、無我夢中の子育てで
深く考えることはできなかったけれど

孫ができて孫を抱いて今までのことを振り返り
孫とその両親のことを考えると
冷静に客観的に見ることができる

生活に追われ日々の忙しさに流されながらも
その存在自体のありがたさに意味が有り
他者の存在に愛を注ぎ込めることの意味
愛を与えることができる幸福がある

子や孫に願うのは
健やかで健康に育ってほしい
暖かく明るい人格になってほしい
世間から注目されるようなことが無くても
自己中で醜い心にだけはなって欲しくは無い
より素晴らしくより良きものとなって欲しい
大きな仕事ができなくても人に感動を与えるような人生を願う
創造主がこの宇宙を創り　生命を生み出し
育み見守っている時の思いにも似た感覚が

おそらく子育ての中にも有るのだろう

孫を持って知る　神（創造主）の喜び

「子を持って知る　親の恩」
ということわざが有る
これは、否応なしに理解できた

次に「子育てをして知る　神の願い」
これは、
子育の中、色んなことを経験するにつれ浮かんできた言葉だ
親と子の関わりと、神（創造主）と人間との関わり
これは、フラクタル
似ているようなのだ
健やかに、より良き人生を送ってほしい
幸福になってほしい

怠惰で自分本位にはならないでほしい
より素晴らしくなってほしい
感動と共にその愛の姿を見てみたい
創造の神も私たちと同じようなことを考えて
生み育んでこられたのかもしれない

そして、孫ができると
その孫はとても可愛いという
なぜ、目に入れても痛くないほど可愛いと言われるのか
その理由は、おそらく、創造主の喜びと同じものがそこには有るからだ

「孫を持って知る　神（創造主）の喜び」
わが手を離れ、その愛の営みが自己展開しながら
より良き世界を創り出そうとしている

当然ながら、親にも良い親、悪い親、普通の親がいる
良い親の中でも最高の親をイメージして思うことができるなら
神が、私たち人間に願っていることは見えてくるはずだ

この社会の中の善悪も
その視点から見ることができるなら
おそらく、はっきりと見えてくることだろう

全ては、フラクタル
似ているからだ

幸福

お孫さんを抱いて
幸せそうな笑顔を見せているご婦人に聞いてみたことがある
「今までの人生の中で一番幸せだった時期は？」
今がそうだと言われるのかと思ってのことだった
しかし、その答えは
「もう一度やれと言われたら二の足を踏むけれど、

自分の子育ての時期が一番幸福な時だった」と
意外でもあったが　納得もした

そしていろんな人に同じ質問をしてみても
異口同音に同じような内容が返ってきた

自分の存在が必要とされ
自分の仕事が、子供とはいえ
他者の役に立っていることの喜び
このことは自分自身の存在意義とも深く関わって
人間とは何か？　何のために生まれ
何のために生きているのか？
この問いに対する答えでもあったと思う

善悪⇔多少

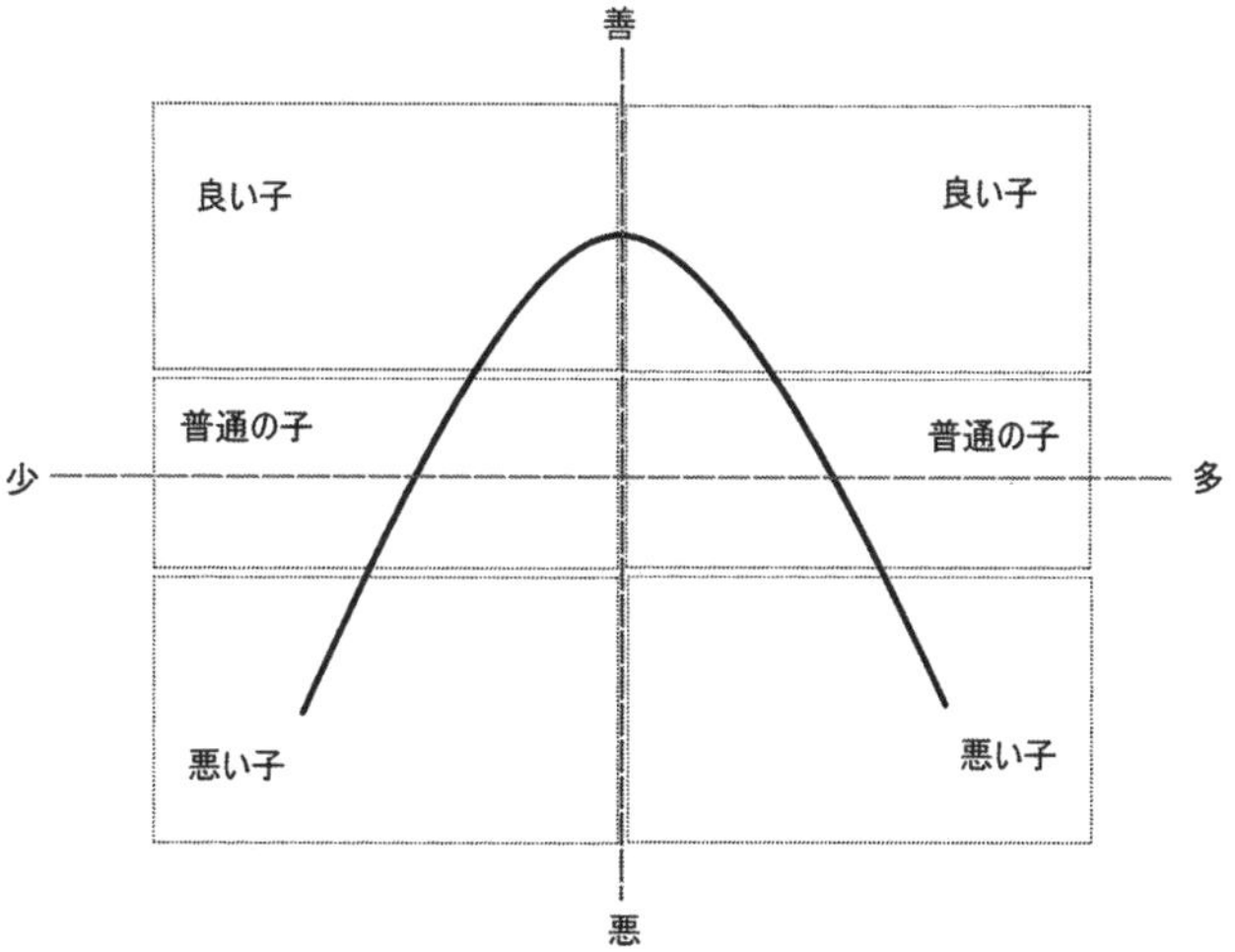

善悪について

善悪、良否、可否を分ける物差し、この判断は何事でも難しい。

この放物曲線は、どのようなことの中にも有る。

図にあるように、何事にも良い子、悪い子、普通の子が有り、良い税率、悪い税率、普通の税率があるように、あらゆることに言えるでしょう。

これは、昔、テレビ番組のコントでありましたが、私自身で考えても、良い玄明さん、悪い玄明さん、普通の玄明さんが居ます。歳を重ねてもそのことの判定は難しいけれど、意識していなければ、今、自分がどのあたりにいるか認識できません。

良いと思われることでも過ぎれば悪く

作用することも有る。

食事も足らなければ餓死することもあるが、過ぎても何らかの病気が待っている。車でもガソリンが入り過ぎると不完全燃焼でスピードは鈍化しエンジンも止まる。税金でも同じことが言える。

アメリカのレーガンとトランプ政権の時の経済顧問にラッファー博士という人がおられ、彼の減税政策は、アメリカ経済を復活させたけれど、いまだ十分には理解されていないようだ。ただ、その考え方はこの図と同じのようです。

税金での考え方は、ラッファー曲線と言われている。税率がゼロでも１００％でも税金は入ってこなくなる。それは当然だろう。ゼロではもちろんだが、１００％を税金で取り上げられるなら、それを誰も認めないだろうし、高い税率なら何とかしてその税金を逃れようとするしかない。節税産業が起こり、本来の仕事でない余計な仕事をするしかなくなる。無駄な仕事を生み出しエネルギーを浪費し発展を止めてしまうだろう。しかし、誰もが納得し、ごまかす必要もないような、最高に税収が増える良い税率がどこか探せば良いだけだ。その税率を探せば良いだけなのだ。

それがどの辺りなのかは、色んな条件でも違ってくる。

しかし、今の日本政府、財務省、メディアの頭の良いと思われている人たちは、税率さえ上げれば掛け算で税収は増えると思い込んでいるようで、愚か極まりない。

税金だけではない、表面的な数字の操作で思い通りに社会をコントロールできるように思い込みバラマキなどには熱心だ。ばらまく金額を増やせば、国民の所得が増え消費が増えて景気も回復するように思い込む。

これらは、左脳的には優秀なのだろうが、右脳的な思考が働きにくい人たちの落ち込む穴である。

右脳的思考（心）が希薄になると、自己中心で、結果主義的な思惑が強く働くために、人々が本来持っている神の子としての自覚を狂わせ、自分たちの都合を押しつけるために狂ってくる。要するに、目に見えにくい所を無視して、結果主義で見るために、良かれと思って判断する中に濁りが生じ、その結果が、日本の経済を停滞させているのでしょう。

大きな政府は、多くの人材と多くの資産を投入しながら、その成果を出すことができない。やらなくても良い仕事、もっとはっきり言えば、やってはいけない仕事をやっているケースが考えられるでしょう。

ことわざにもあるが「地獄への道は、善意で舗装されている」を実証中です。

人々に政府に依存しすぎる面が有るためだろうが、政治家、官僚たちも、自分たちの権益が確保されることで納得しているのでしょう。

この悪循環を断たなければ、日本の蓄えてきたあらゆる価値、あらゆる信用が消えてしまうだろう。

経済の話に移ってしまったが、それほど善悪の問題は難しい。その善悪を狂わせてしまう原因に何があるかというと両目で見ない蛇行現象が有ると思う。言い方は難しいですが、左脳的なものと右脳的なものと、あまりにも交互に細部だけを見すぎて起こる現象ではないだろうか。交互に細かく片目だけで見ようとするために起きている現象ではないだろうか。弓矢などの射的でも片目で的を狙いがちだけれど、正確に的を狙うなら両目を機能させなければならない。

どうしてもこの世では左脳的な右目（結果）を中心にしがちなので、右脳的な左目を活性化させる必要が有る。右脳的なものとは悟性、感性に関すること。

感性を磨きつつ、悟性に関わるような課題にも入っていく必要が有るでしょう。

善悪、正しさの基準

善悪の問題は、このように子や孫を見る視点で考えるなら見えてくるでしょう。もちろん、最高に良いジジババを想定して考えることだ。普通のジジババだと、子や孫に愛情を注ぎ込むにしても無意識のうちに見返りを求めてしまいがちだし、愛情が過ぎて子や孫のためにならない領域まで踏み込んでしまうからだ。本当の意味で愛情を注ぎこむのではなく、手なずけようとする欲が混じり込んでしまうかもしれないし、単に、自分がしたいからしているレベルで子や孫のことを深く考えていない場合もある。愛を与えるのではなく奪っている場合もある。

最高の祖父や祖母の心境といっても難しいけれど想像することは不可能ではないだろう。

ＩＲ法というのがある。カジノ法案だ。

このような法案が審議される背景には、それぞれの意見の中に正当だと思われるモノがあるからだろう。ただ、これなんかも最良、最大、最強のジジババの立場で考えるなら見えてくるものがある。

子や孫をそのようなカジノに積極的に通わせたいと思うだろうか。そのような施設を合法化してまで作ろうとすることが正しいだろうか。

今、至る所にあるパチンコという娯楽施設でもそうだろう。明らかにカジノと同じく博打である。競艇や競馬などの公営ギャンブルもあるけれど、これが認められているのは地方の税収の面があるのだろうが、これなども、フラクタルの森的に言えば左脳だけで考えていることだ。税収を確保しておきたいということかもしれないが、右脳的に考えるならやはり無理がある。コマーシャルまでして積極的に広めることだろうか。そのようなことで生計を立て経済を維持している人たちも居るだろうが、全人類を我が子や孫のように考えるなら別の道も見出せるはずだ。

ベーシックインカムの議論も同じことだ。

働かなくても生きていける怠惰な環境を子や孫に与えたいと思えるだろうか。

苦しくとも努力精進し、自らの力で道を開いて、その喜びを噛みしめてほしいのに、そのような機会を奪うような制度を考えるなら、そこに邪悪な思いが隠れている事を知るべきです。


結局、信仰心が不可欠だということ。（ｐ57）の自と他と全体という3点測量と、世界（神）があり、思い（道徳）があって、行い（現実）が有るという5W2Hの3点の構造（ｐ15、ｐ61、ｐ79）がフラクタルの陰陽学では不可欠なのです。

ピラミッドの図（ｐ28）で説明するなら、天に神なる意識があり、その意識を通して右脳と左脳的な感覚が循環し、全てが成り立っている。この全体を見なければ良い循環が維持できず、それぞれに、それぞれの場所で幸福を求めながら、求めているものが得られなくなるということです。

不幸とは

不幸とは何かという問題があります。

「結果」を得られない不幸もありますが、ただ、その得ることが出来ない不幸は大きなことではないのかもしれません。評価とか報酬を得られないことよりも、自らの存在意義に関わるところが確認できないなら、その不幸感覚はいかばかりでしょうか。喜びもその反対の不幸感覚も、どうやら原因と結果の両方にあるようです。

物事の流れには法則があり、その課題（なにを）で求めている成果が出ないなら、必ずどこかに不備が有る。見て、思って、行って、結果が出るという流れの中で、その原因を探そうとする時、往々にして、表面的な目に見えやすい「行い」のところでしか見られない傾向が有る。しかし、「思い」（動機）の所や、その課題を含めた世界観を見誤っている場合がある。

人間の持っている徳性として悟性・感性・知性・理性が有り、その徳分とこれらの図は深く関連して、論理的に循環している。

この循環は、左脳と右脳の持っている特性とも関連し、更に言うなら、釈尊の悟りの原点である四諦八正道とも関連し、愛・知・反省・発展の教えとも関連しているようだ。

釈迦弟子が次々と悟りを深めて救済力を増していったように、すべてを検証するべきですが、現代社会では、どうしても知性（どのようにして）と理性（どうなった）というような、目に見えやすい左脳的要素で見てしまいます。

しかし、「大切なものは、目に見えない」という言葉が有るように、感性（なぜ）・悟性

（なにを）という右脳的要素の見えにくい所が、より重要になる。

「なぜ」の部分、ここに入るモノは、「愛」「与える愛」に関連するもの。


この右脳的な基礎に有るべきモノが希薄だと、後のモノに狂いが生じてくる。

究極は、神、創造主たる存在を意識することができるかどうか、「世界」（真理）の見方を間違えると大変なことにつながっていきます。

見えにくいものを無視する唯物論では、右脳的な悟性、感性が希薄になり、課題の見え方も違ってきて、そこから出てくる思いも言動も影響を受け、結果主義、自己中心主義となり、起きることは不都合な現実です。

幸福を願いつつ、世のため、人のためにと努力したことが、その思いに反して逆の結果を招くなら、それをどう心は判定するだろう。

「地獄への道は善意で舗装されている」ということがリアルに明確になったならば、それこそが不幸だろう。

第4章　政治経済

左脳的人間は究極の客観視がしにくい

左脳的人間とは、ある意味勉強をし過ぎた人といっても良いかもしれません。優秀な人たちが多く、ある意味、勝ち組と言われているような人たちで、この人たちの多くが、左翼的でリベラル傾向が強く、霊的世界も創造主も認めない人が多いように思う。高学歴の人たちの傾向性でもあります。

陰陽全体を両目で見ることが大切なのですが、どうしても、基本、自己を中心に見すぎます。客観的に見ようとしても自分から離れることは難しい人たちで、ある意味、優秀なので自分に自信を持っているからでしょう。

次の図は、論理的に見ることを立体的に置き換えたもので、国家などの経済の本質を見るのに分かり易いと思います。基本、個人や企業と同じです。

GDP三面等価の原則（生産・消費・所得）

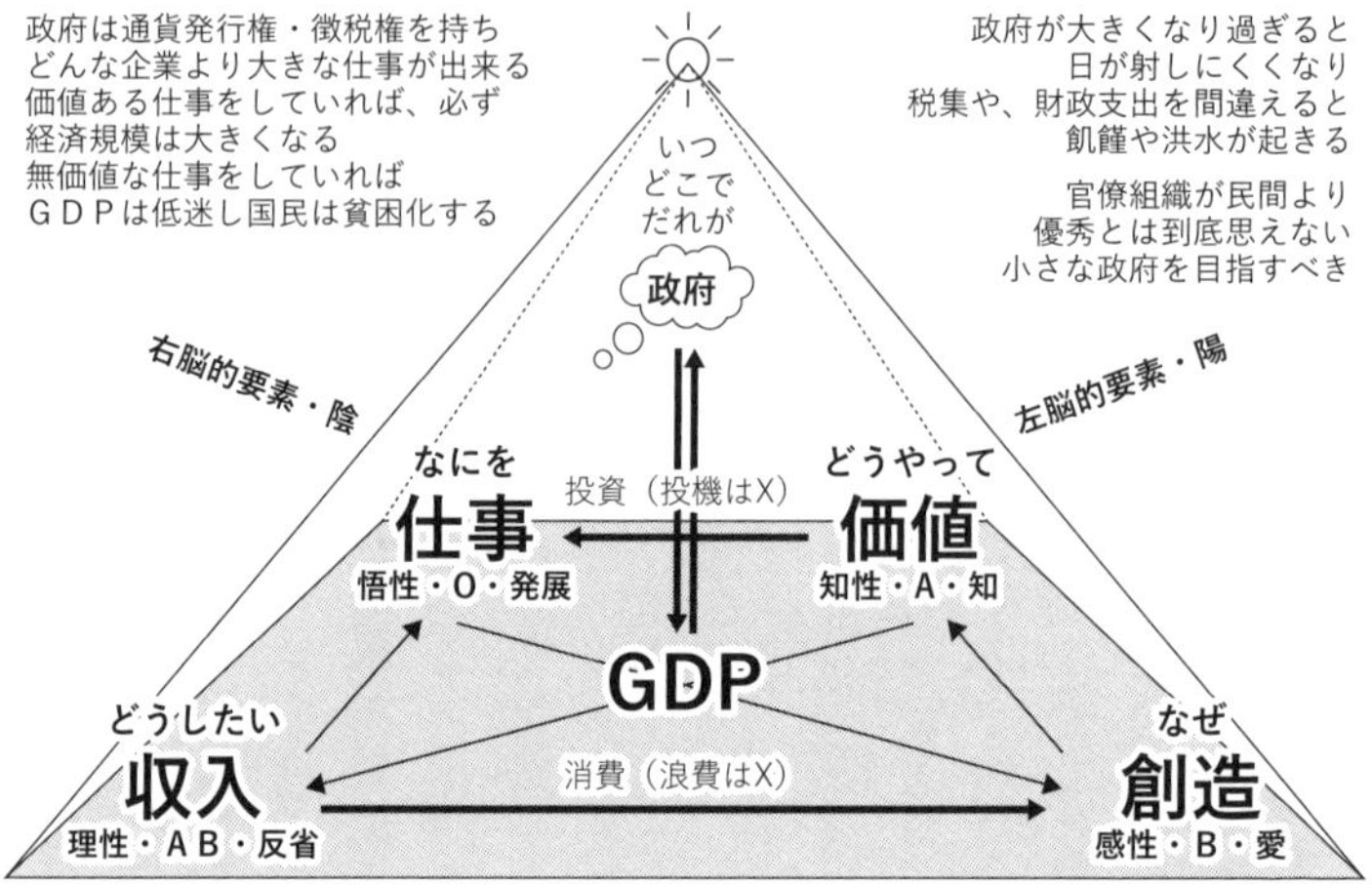

GDP三面等価の原則（生産・消費・所得）この循環を良くすることで経済は良くなる

景気を良くしたければ、この4つの循環の質と量とスピードアップに努力すれば良いだけのこと。

これを、政治家もマスコミも経済の専門家も片目で見て、立体的に考えられないために結果主義に陥り悪循環を起こしている。そのために、無意識のうちにGDPを増えないようにして、日本を貧しくしている。

「企業の目的は、社会貢献（創造される商品やサービス）であり、その結果目標として利潤（収入、所得）がある」

これが陰陽の両目で見る真実です。そして、そのお役立ちの拡大再生産のためにも利潤を上げる使命が有る。同じく政府にも利益を生み出す責任が有るのです。

目的は、お役に立つこと、使命（目標、義務）はそれを結果として示すことです。

税金は全て「仕事」が産み出す「代金」（ＧＤＰ）の中から汲み上げられる。

政府は、国民を豊かに幸福にするためにもＧＤＰを増やす義務がある。

税収を増やしたければＧＤＰを増やせば良いだけのことなのに左脳だけを鍛えた人は、この因果の流れを無視し税率を上げれば税収が上がるように考え社会を混乱に陥れています。なぜなら、片目で見ているからです。政府の仕事は、各種行政サービスが創造され、それが価値を生み、国民所得が増えて人々を豊かに幸福にしていくことです。言い換えると次のようになります。

「政府の目的は社会貢献（経世済民）であり、結果目標として発展（ＧＤＰ国内総生産）がある」

　お金は血液と同じであり大事なものを運ぶための道具です。景気を良くしたければこの血液の循環を良くすればいいだけのこと。

　例えるなら、お金が一日に一回循環していたのが、二回循環すればＧＤＰは、2倍になる。ＧＤＰが2倍になるということは、生産も消費も所得も2倍になり税収も2倍になる。消費税など上げなくていいというよりも、消費税は、消費に対するブレーキです。デフレ状態の中で消費にブレーキをかけるとは狂気の沙汰。

　さらに、ＧＤＰを増やすために血税が使われるなら良いが、選挙目当てで国民にばらまかれるなら、国民の民度を下げ、国家は滅びへの道を歩むことになるでしょう。

すでに破たんしているネズミ講である公的年金制度を現状のまま無理に維持し、それを消費税で賄おうとするなら消費税70％は必要になるという試算もあります。これで経済が持つわけがありません。

若者を強制的にネズミ講のような年金制度に入らせてお金を巻き上げ、それでも足りないとして、消費税で賄おうとして景気にブレーキをかけ、若者の所得を奪い貧しくさせようとしているのです。

二重に若年層を苦しめることになり、国の未来を危うくしている。

犯罪行為である「ネズミ講」を国家が運営し、泥棒や詐欺にも見える二重課税や取れる所から取ろうとする徴税方法、バクチまで合法化して税収を上げようとしている。

このような犯罪行為を国家レベルで行うならその国家は滅びてしまうだろう。

ネズミ講が犯罪と認定されているように悪循環が起こり継続は出来ないのです。犯罪は良い循環を産み出さず、誰かの不利益の元に成り立っているから犯罪なのです。

今の若者が今の年寄と同じように年金をもらえるわけは無い。無理にそうするならば国家の経済は滅茶苦茶になるでしょう。

今の年金制度を軟着陸させ、セーフティーネットも充実させながら民間でも継続可能な積み立て方式に戻し、日本の経済を建て直していかなければなりません。

どのようなことでも左脳的結果を出す義務が有りますが、それは右脳的感覚という基本が有ってのことです。基本を忘れていてはダメなのです。

右脳的感覚の進化の上に左脳的結果はついてきます。

政府の仕事とは

政府の仕事とは何でしょうか。

政府は、徴税権だけでなく、通貨発行権を持ち一般企業より大きな仕事ができる立場にいる。ということは、日本経済に大きな貢献ができていなければおかしいのに、景気の低迷が続き、国民の貧困化が現実となっている現状を見ると、その仕事が、価値を生まず実質的な経済に貢献していないことが分かります。

政府組織ばかりが大きくなり、役に立たない独りよがりの仕事、価値を生まない無駄な仕事ばかりをやっている可能性があります。

国民に、ただお金を配ることを仕事と勘違いしているのかもしれません。

ＭＭＴ論者たちのように大きな政府を理想とする考えもありますが、それこそが大問題です。多くの人材を使い、多くの資金を使えば、政府の支出は国民の所得になるとして財政出動を勧めるのです。政治家も無駄に多いようです。

その仕事の質を考えるべきでしょう。その仕事から生まれる価値を考えるべきです。ただ、数が増えることで良い仕事ができると考えているなら思考を停止させています。

経済低迷の大きな原因は、大きな政府にある。

大きな政府は、「分配」とか言って、無駄な仕事を作り出し、やっている感を演出する傾向を持つ。砂糖菓子のような優しさは、骨まで溶かして自立できなくさせる可能性もある。厳しさと優しさのバランスが大切であり、国民に自助努力の精神を養ってもらわなくてはならないのに、バラマキが中心になり甘やかせることになり、子や孫をダメにしている親と同じになりがちです。

「地獄への道は、善意で舗装されている」ということわざを肝に銘じるべきです。

結局は、何が善くて、何が悪いのか、見極める力が落ちているということ。

それは、唯物論、無神論が蔓延しているのが大きな原因でしょう。

神仏への信仰心が無く、神仏の価値観を持って考えようとしなければ、善悪の判断も狂ってくる。

優しさと厳しさのバランスも狂ってくる。

あの世、霊界が無ければ、神なる存在も有り得ない。神の代わりに各自が主たる神となって、それぞれの価値観で判断するために、自己中心的になり神の願いから遠く離れることで運が悪くなり、その蓄積が社会を腐らせている。

政府の仕事も、企業や個人事業者と同じ循環の中に有り、国民の仕事と共に経済を支えています。政府の仕事に通貨発行という仕事もあるが、これも深く考えるなら、陶芸家の私が、備前焼でコインを造り、そこに1万円と数字を書いているようなものです。もちろん、そこには、信用という見えないものが不可欠ですが、その信用さえ担保することができれば、今使われているコインなどの代わりにすることも不可能ではありません。

通貨発行権は、国によって違いが有るようですが、政府がやろうが、民間企業がやろうが、たとえ誰がやろうが、信用さえ担保できればできることです。言いくるめる事さえできれば可能とも言えるでしょう。
ただ、徴税権や通貨発行権のような、大きな権力を持つことで地に足がついていない可能性が有ります。

企業などの仕事が価値を生まないなら、競争の中で自然淘汰されるので問題ありませんが、甘えが有ります。というか、企業などと違って利益を上げるべきでは無いと思い込んでいるようです。しかし、政府の仕事も民間と同じであり、その仕事が価値を生まなければ人々を豊かにすることはできません。

政府の仕事は、すぐに価値を生まない仕事も有りますが、価値を生むどころか、消費税のように経済にブレーキをかける仕事をしたりします。経営が下手という以前の問題でハンドル操作を間違え、アクセルとブレーキを間違え続けています。政治家にも絶対に経営感覚が不可欠です。企業経営の経験の無い者だけに任すべきではないでしょう。

政府のやっている仕事が悪いのは、政治家や官僚たちが自己中で私利私欲に毒され、理想を描く力が弱く、経済が成長することをイメージできず、使うべきところに使わず、使ってはいけないところにお金を使うからです。財政均衡を言い訳にして、緊縮財政といっているのに、政権が体面を保つような支出とか、票につながるようなバラマキには積極財政です。アクセルとブレーキの使い方を間違えているようです。

子供が成長する時にも、企業が成長する時にも、必ず、先行投資が必要なのに、その先行投資で借金が増えることを嫌がるマインドに問題が有るようです。子供たちの成長を願わず、支出を嫌がり、教育を受けさせないようなものです。財政赤字を積み重ねると「未来社会にツケを残す」とよく言われるが、子供に適切な投資をしなければ、その子の未来は開けてきません。

子供が成長して価値有る仕事ができるようになると、家計も支えてくれます。様々な投

大切なことは目に見えない　無視するとその価値は消えていく

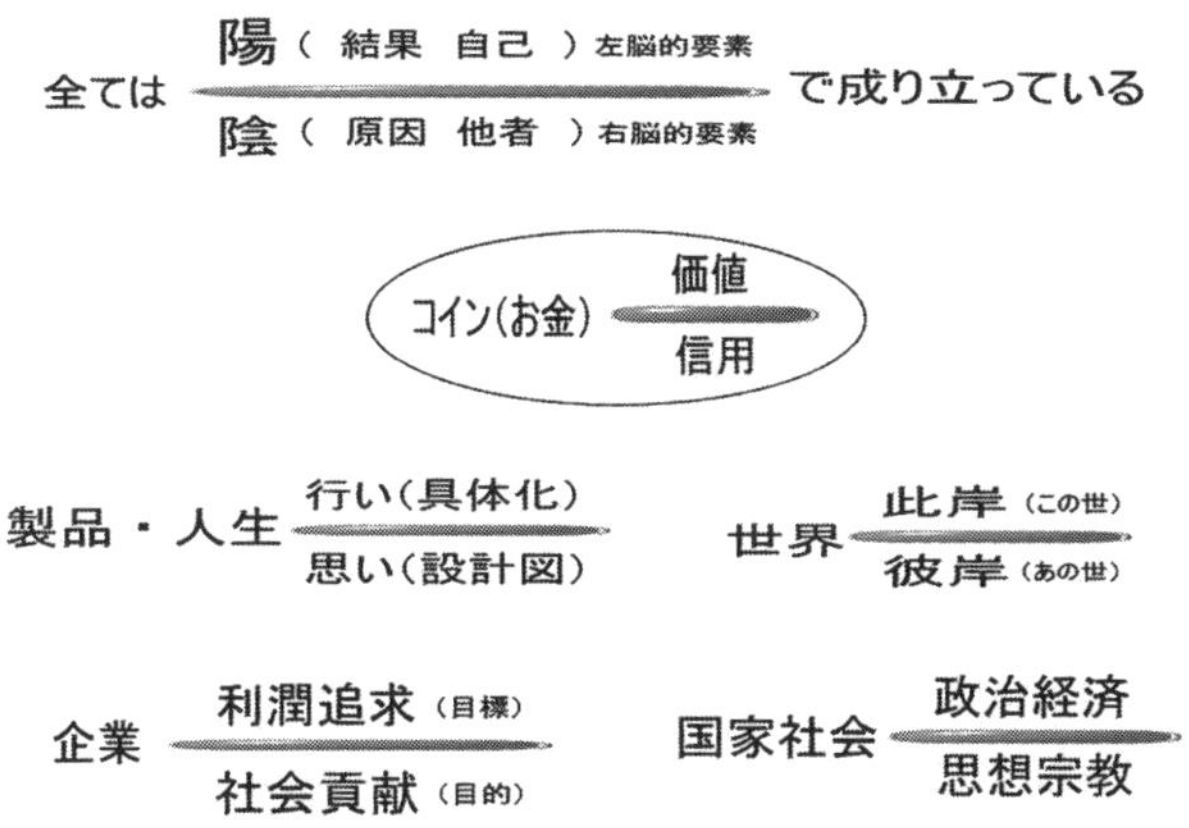

資が企業を成長させ、国を支える柱ともなってくれる。法人税や所得税も増えて、経済成長させることができれば税収も増えると同時に、経済成長で理想的なインフレも起きれば、その借金も相対的に小さなものになり、税収も増えることで簡単に返せるようになります。

政府の考え方の中には、そのようなダメおやじの側面があり、それがＭＭＴのようなダメ息子を生み出してもいます。蛇行させているのです。

経済の中に躁うつ病が蔓延しているようなもので、そのために、現実を更に蛇行させることになる。左脳的には優秀なのだろうが、右脳的なところに欠陥が有ると言えるでしょう。見えにくいものが見えていないために蛇行しています。

頭が良くて優秀なのでしょうが、頭が良くても愚かな人が居ます。頭が良くて素晴らしい人も居ます。馬鹿でも素晴らしい人も居ます。馬鹿で愚かな人も居ます。陰陽両方を磨く必要が有るようです。

大きな力、素晴らしい能力が有ったとしても、それを使いこなせる心が磨かれていなければ問題が有るということ。

お金とは何か？

お金とは何かという問題が有ります。

結論から言えば、お金は、信用を背景にした道具であり、その道具であるお金の本質を見誤り、債務と債権の記録として数字や物としてだけ考えていると、その価値を見誤りその信用は揺らぎ始めます。お金の価値を決めている本質は、簡単に言うならば信用です。うがった言い方をすれば、思い込みであり、思い込まされです。

その信用はあいまいなモノですが、その信用の最たるものは、神からの信用だと理解すべきでしょう。

フラクタルの森的に言うならば、陰陽両面で見るべきであり、その価値を支えているモノも一緒に見なければならない。あらゆる価値有るモノは、それを支えている原因があり信用がある。何が、誰が、その信用をどのようにして担保しているのか考える必要が有るでしょう。

ＭＭＴでは、政府の支出は国民の所得になるとして多くの財政出動を推奨しますが、反面で、財源を無視していては、たとえ自国通貨建ての借金では破綻しなくても将来社会にツケを残すことになるとして緊縮財政に加え、愚かにも消費税増税などに血道をあげる輩もいる。お金を数字や物としてだけ考えて、双方ともその本質を見ず結果主義的に財源を作り出そうとする。お金の集め方、使い方の善悪を見ようとしないことでも蛇行する。

神の見えざる手は、信仰心が有り、本当に良識ある人々の心の中の神性に委ねられます。経済に真理価値（神から見ての信用度）が乏しくなると、アダム・スミスの言う「神の見えざる手」がマイナスに働くこともあります。

政府の仕事も一般企業と同じであり、その仕事（行政サービス）や商品（通貨発行も含む）に価値が無ければ結果は出なくなり、どんなにごまかそうともやがて信用は無くなり、その仕事は継続できなくなります。その国はやがて滅びに至るでしょう。

今、日本に必要なことは、一人一人が、信仰心を取り戻し、神仏の願いを知り、その真逆の政策にブレーキをかけることです。国家ぐるみの犯罪行為があまりにも多すぎます。

　税金の意味も誤解され、取れる所、有る所から自己の都合のみで強盗のように取り上げようとします。ＮＨＫの受信料の徴収は押し売りという犯罪です。それを正当化するように良識ある報道をしようとしますが、動機の中に不純なものを含むために表面的で差しさわりの無い、批判を受けることのないようなスタンスで番組を作ります。それが偏り左翼リベラル傾向を強くして国民に本質から目をそらせるようなことをします。そして、風評被害のことも報道しますが、それこそ自分たちが創り出していることに気が付きません。風評被害が懸念されるならそのようなことは報道しないことです。

　差別などでも、部落問題やアイヌ問題などが有りますが、これなどもマッチポンプです。見た目や生まれの違いだけで人の価値は決まりません。差別している人こそが差別されるべき人です。人は、自分を見るように人を見ます。自分の心が相手に映り、それを見て批判するのでしょう。それを見せられた側は、何か差別されるべきモノが有るように錯覚させられます。私も姉が大学で部落問題のサークルに入っていたために暗示を受けてしまいました。歴史上有ったことだけれど、良識ある知識人を気取り、同情心から問題提起します。しかし、それを利用して自分の利権として動く輩も居る。問題外なので扱うべき報道ではないのです。その利用しようとする心こそ問題なのです。


　テレビが始まる頃に放送局は一つしかなかったことを考えれば、受信機と受信料がセットになっていたことは当然かもしれませんが、今となっては錯誤も甚だしい。

一番、日本経済に影を落としているのは、数字を見ても分かるように年金制度などの福祉政策です。これなどは、前にも書きましたが根本的な改革をしない限り難しい。そもそも為政者も国民も奪う愛の実践者になっているからです。国全体で生み出している価値を奪い合うために膨れ上がってしまいました。自助努力の精神、勤勉な精神が国内に希薄になっていくなら経済の循環が悪くなるに決まっています。

要するに、一人一人の心の問題が影響しているのです。

第5章　思想宗教

良い子、悪い子、普通の子

これは、どのような人にも、どのような事にも、フラクタルとして在る。

宗教の世界にも政治においても経済においても例外ではない。要するに善悪の問題であり、心の問題です。

税金にも良い税金と、悪い税金が有り、普通の税金も有るでしょう。

その使い方でも、良い財政出動と、悪い財政出動とが有る。

両方で、悪いほうを選ぶなら、そのマイナススパイラルはとても強くなります。

逆に良い税金、良い財政出動ならば、その逆で、なんでこうなるのというくらいの効果が出るでしょう。

だが、この善悪の判断は難しい。

ただ、ラッファーカーブと同じ図がフラクタルの森には有る（ｐ１１５を参照）。それは、適切な税率を決めるためにラッファー博士が描いた図と似ています。

私が描いたのは、何が善悪を決めるのか考えたときに思いついた図です。どのようなことでも、少なすぎても、多すぎても、問題が起きます。すべてのことに放物曲線が有り、その図の中心座標をどこに置くかで判断は違ってくる。最高に良いレベルを超えて、少なかったり多かったりすると、普通のレベルになる。それをどちらの方向にかじ取りすれば良いのかわかりにくく、更に少なすぎたり多すぎたりすると悪になる。

車も同じことでハンドル操作は難しい。車の運転でも状況によっては逆ハンといって、曲がりたい方向と逆にハンドルを切るべき時がある。船とか飛行機の操縦ではさらに難しい。風が吹いていたり、潮の流れが有ったりすると、そのことを判断に入れなければ事故につながります。

このハンドルやアクセルとブレーキの操作はどのような事にもフラクタルとして存在しています。

政治や経済のことになると、更に複雑であり、間違うことが多いようです。

歴史を見ると、その連続だといっても良いだろう。しょっちゅう事故を起こしています。

この十字架の中心をどこに合わせて考えればよいのか、人は、無意識のうちに考えているようですが、この善悪を明確に意識し判断しなければ、雰囲気に流されてしまう。

これは、個人の人生を開くための「正しき心の探求」をする姿勢と同じことだと思う。もちろん、ここでの正しさの基準は、神仏から見た正しさです。

財政出動の中でも、バラマキでも全部が悪いわけではないでしょう。

政府の良いバラマキは、社会に対する「投資」と言い換えるべきもので、正しい投資、良い投資なら逆に必要なことです。

産業育成のための投資も有れば、教育のための投資も有るだろう。

子供手当の投資などが、果たして効果が有るのか、単純に一律に配ることが良いのか、それとも、所得制限を決めるべきなのかどうか、そもそも、現金給付が本当に生かされるのかどうか、問題は多い。配るべきでないという判断もある。

そんなご機嫌取りに近いものよりも、景気を良くして国民一人一人が、その責任の中で子供にどれだけ、どのタイミングでどのようにすれば一番効果が有るのか、それぞれに判断させるほうが良いとも思える。

国民の思考レベルが官僚や政治家たちよりも劣り、政府に決めてもらうほうがベストならそのほうが良いだろうが、とてもそうとは思えない。無駄になるものも多いだろうし、逆に与えるべきではない状況も有るだろう。

貰う方は嬉しいけれど、良い投資にはならない可能性があるでしょう。

その為にはお金がかかり、財政出動という支出が伴う。

そこで、更に問題をややこしくしているのが、ＭＭＴ論者たちだ。

国債発行で賄えばよいという。「政府の支出は国民の収入になる」からだという。確かに、表面だけ見れば、そうだ。ただ、その表面（陽）を支えている裏面（陰）を見る必要が有る。両目で見る必要が有るのです。

政府の支出と国民の収入をつなぐのは、お金であり、そのお金の価値を維持しているのは、信用です。この信用について、ＭＭＴの代表のようなＭ氏に彼の講演会の中で質問したことが有ります。彼は、信用というような、あいまいな言葉を使いたくないという。信用創造とか言っているのに、お金の価値を支えている重要な部分を無視して彼なりの論理を打ち立てています。

借金にも良い借金と悪い借金とが有るように、国債で資金調達するにしても悪い国債と良い国債とが有る。この善悪の判断、要するに、あいまいな信用の中に含まれている善悪の峻別ができないでいるのでしょう。

銀行で国民が借金をすることで、信用創造からお金が生まれているのだからと言って「貨幣論」を彼なりの正しさで打ち立てているのですが、私は、彼のように頭は良くないのだが、おそらく、彼は死後の世界も創造主も信じていないでしょう。自分の優秀さに浸り、自分の正しさを優先するあまり、片目状態になっているのでしょう。

財政出動を提唱するＦ氏とかＮ氏も同類のように思われます。

要するに左脳的に優秀過ぎて、右脳的な面が不足していると思われるのです。右目ばかりで的を見ているから立体的に見えないために的を外すのです。世界を正しく見られないために、おそらく、自分が神になっているのかもしれません。

もちろん、誰でも自己中で結果主義が普通です。ただ、これにも良い子、悪い子がいて自己中も結果主義も度を過ぎれば問題が起きます。

同時に、主体に入るべき自分や政府が大き過ぎると天からの光が差しにくくなります。

彼らは、ケインズ経済学を支持しているようで、アダム・スミスの「神の見えざる手」を低く見ているようで、ケインズの大きな政府で積極財政に偏り過ぎているようです。

神なる存在を意識できるかできないか、その程度問題もありますが、その信仰心の有無で、左翼と保守とを横断して世界が二分されているようです。

宗教とは

そもそも、宗教とは何か、思想とは何かという問題があります。良い宗教も悪い宗教も普通の宗教もある。そもそも思想と宗教を分けられるのかという問題もある。そこには哲学ということも関わってくるでしょう。

同じ宗教でも時代とともに変化して、良い宗教も普通の宗教から悪い宗教へと変わることも有るでしょう。時代に合わなくなり創始者の願いからも脱落する場合もあります。

世界宗教の中に有るのが、死後の世界のことです。

あの世、死後の世界の話があり、天国地獄の話があります。

更に、宗教にも陰陽が有り、二つの視点が必要だということ。この陰陽の両方で見なければ宗教の本質を見ることは出来ません。

陽とは、簡単に言えばご利益のこと。結果として起きること、陰とは、そのご利益の原因であり、条件である心の教えが不可欠だということです。

　現代の日本で宗教が評価されない理由は、悪い宗教が多いせいもあるでしょうが、見えにくい「心の教え」を無視しているからです。往々にして手段や結果の御利益ばかり、陽の表面ばかりを見ています。

　心の弱い人が御利益や救いを求めて祈るのが宗教だと思い込み、心の教えを見ようとしないために蛇行するようです。

　さらにもう一つの要素、その思想の発信源のことがある。どのような存在を主として、その考えをどのように取り込んでいるかという問題です。天国地獄、あの世の在り様がどうで、どのようなルールが働いているかという課題。要するに、これは心の教えに関連し、それを受け入れた人々の指針にもなり、ここが間違っていれば、後のものが大きく狂うことになります。

　この思想宗教の違い、世界観の違いは、対立の根本の原因にもなっているようです。

しかし、世界中にある対立は、基本が、損か得かの左脳的対立と好き嫌いの右脳的対立で、世界の紛争が戦争に至るため一番の原因は、損か得かの利害の対立です。思想宗教が違っていても利害の対立が無ければ起きないでしょう。砂漠の国など石油などの地下資源が多ければ、その地を支配すると富が手に入るので紛争が多くなります。モノづくりなどで価値を創り出している地域では協力が不可欠なので紛争は比較的少ないでしょう。利害の対立（陽）が先に有って、思想宗教の違いで泥沼に入ってしまうようです。

今起きている対立も、利害の対立と、もう一つは思想宗教の対立です。

アメリカのトランプ対ＤＳ、プーチン対バイデン、ゼレンスキー、この世界を二分している構造にも、見えにくいけれど宗教対立は有ります。言っていることとやっていることを見ればおそらくそうです。

強引に言うならば、創造主を信じている側と信じていない側。

一番影響しているのが死後の世界と創造主の有無の見方の違いと言っても良さそうです。

世界観は、大きく分けると無宗教と有宗教に分けられます。宗教の定義は様々有るでしょうが、「無宗教」も一つの宗教だということを理解しておく必要がある。無宗教は、自分より上位の崇高なる存在を認めない時点で、宗教という概念から離れているために悪い宗教となります。宗教の視点から見れば、唯物論、無神論は悪い宗教です。

今、無宗教を信じている人が多くなっているのが世界、特に日本の現状です。そのため

世界観・宗教観

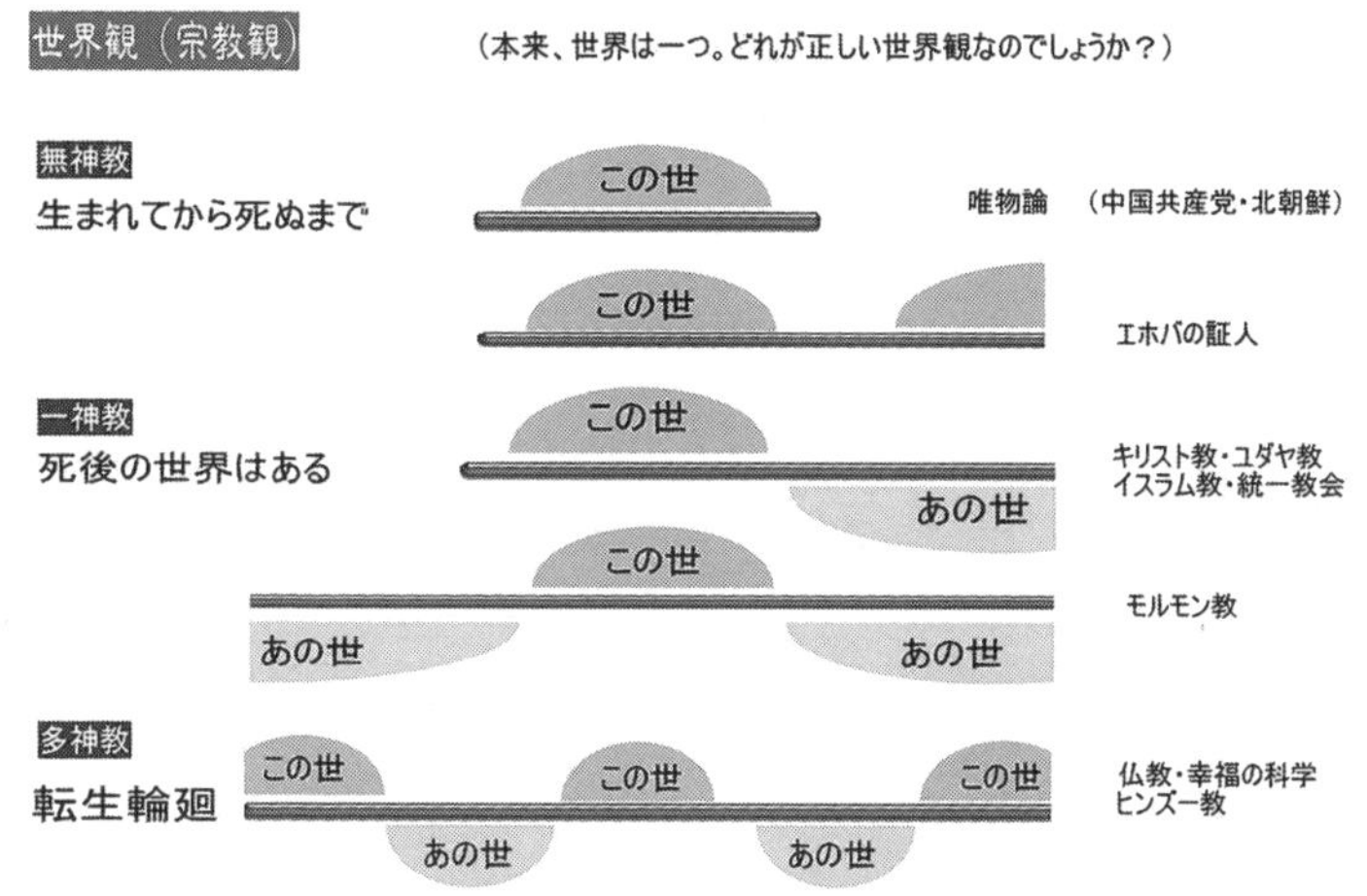

に価値観が狂い判断を間違えるケースが多くなっているようです。

宗教の種類

世界の宗教を大別すれば、四つの世界観（宗教観）に分けられるでしょう。それは、無宗教（唯物論、無神論）・一神教・多神教・万教帰一（至高神）です。

ここには描かれていませんが、万教帰一とは、全ての教えには段階差があり、至高神という一点から始まっているという世界観です。究極の創造主までつながっているという考え方です。

私自身は、転生輪廻の形が遺伝子と似た形で二重らせんとなっているのだろうと思っています。表面意識がこの世に生きており、潜在意識があの世・霊的世界に存在しており交互に転生輪廻を繰り返している。その潜在意識は、この3次元、現象世界に生きている私たちと、どこまでつながっているか分かりませんが、潜在意識と言われている部分で守護霊とつながり、霊的世界の奥深く、おそらく、天使とか神の意識だけでなく創造主、主なる神までつながっている部分があるのではないでしょうか。

人は皆、この世に生きている間、霊視線、シルバーコードといわれる細い線が後頭部あたりで根源の神とつながり、それが切れた時がこの世での生命の終わりであり、あの世に帰るという仕組みになっているようです。

一神教の場合、唯一絶対の神は自分たちが信奉する神である以上、戦争などでは有利です。多神教の場合は、他の神々を認めるとなると攻撃の手が鈍ります。そのために、先の大戦の日本は、廃仏毀釈で慈悲という精神文化を持つ仏教を脇に追いやり、国家神道のみで戦うことにしてしまいました。戦争の相手を鬼畜米英といっておとしめ、戦いを有利にしようとしたと思われます。

一神教よりも強いのは、唯物論、無宗教です。

「無宗教」、これも間違いなく宗教の一つであり、これは非常に分かり易く、一神教以上に強度の一神教になる。主なる神を一つにして全体主義的に一つにまとめやすくなります。

全ての神を認めない以上、主となるのは、自分であり自分たちであり、魂も認めず、人間を物として見る傾向があり、攻撃の手を鈍らせにくくなるのです。

宗教は戦争の原因になるという意見もあるが、無宗教である共産主義が歴史上最多の人命を奪ってきたとも言われています。

「いちばん大切なことは、目に見えない」と言われるように、目に見えない、高邁なる存在を信仰の対象にできないという事は、無宗教（唯物論・無神論）では、一番大切なことを見落とす可能性が高いということになります。

無宗教は神が中心にいなくて、人間が中心になりますから、どうしても人間の権利を強く考えてしまうでしょう。親子の関係でも分かりますが、親が居なければ自分勝手になり、どうしても自分に甘くなります。

権利を強く見ることで、優しさを中心に左翼的な考えになり易く、自分たちが主なる神ともいえる存在ですので基準が定まりにくく、善悪の判断も蛇行しやすくなります。権利と権利、それぞれの正しさがぶつかり合いやすくなり、また、自己の正しさを厳しく押し出すことで全体主義にもなり易くなります。

優しさと厳しさが、暴走して揺れやすく、左翼にも右翼にもなり易い。優しさも厳しさも、本来なら神から来ているものであり、全存在が、「与える愛」を基礎にして存在しているのに「奪う愛」と翻訳を間違うために、善意を利用し神仏までも利用して自分たちの正当性を前面に出そうとする。基本が奪うことになってしまっているために、利用できるものはすべて使われます。一番利用価値が高いのが「優しさ」です。やくざ映画ではありませんが、人をコントロールする時に有効なのはオドシです。その脅しを効果的に使おうとすればスカシが不可欠です。

政府とやくざを同列に扱うことはできませんが、両方の力を上手に使います。脅しには、毅然とした態度で臨もうとしたときに解決策はあります。しかし、スカシ、優しさは恐ろしい。

「地獄への道は、善意で舗装されている」ということわざが有りますが、善意ともとれる優しい態度や言葉や政策の中に邪悪な心が有る場合がある。

「分配」とかが政治の中でもよく言われていますが、分配する以上どこかから集める必要が有ります。より分配するためには、より多く集めることが必要です。「増税」が必要になり、金持ちから多く集めるために、所得税の累進性を強くしたり、法人税を上げたりすることで財源を確保しようとするのでしょうが、金持ちを追い込んで貧乏にしても、結果として、全体が貧乏になる道が開けるだけであり、分配された側も一時は良くてもさらなる貧乏になっていくでしょう。

左翼的運動の中に、この優しさの危険が潜んでいます。神からくる優しさではなくて、悪魔からくる邪悪な思いを含んだ優しさの可能性もあるのです。

左翼的な政策には、このような善意が多く含まれていることが多いようです。

これが、共産主義や社会主義の国家が、過去衰退していった原因ではないでしょうか。全体主義になり、自分たちの正しさが中心になり暴走し、周囲を不幸にしようとする。うつ的に否定的な視点で、嫉妬を正当化させ自分たちだけが没落していくのは仕方がないとしても、外に向かって暴れ出されたら大変です。

ただ、無宗教で国家を運営しているのは中国共産党や北朝鮮でしょうが、本来の共産主義で運営するのではなく反動から生まれる全体主義の国です。本来の優しさはどこかに行って厳しさだけ、しかも支配層の自己中での厳しさだけで支配しています。共産主義に対立していたと思われる資本主義の中にも無宗教という世界観が広く蔓延してきたために、今までの左翼とか保守という分け方はできなくなっているようです。

キリスト教国やイスラム教国、様々有りますが、日本の現実を見ても分かるように宗教を本当に信じている人は少ないでしょう。僧侶や司祭という人でもあの世も神仏も信じておらず職業で宗教をやっている人も多いようです。

この「無宗教」の人たちが、世界を覆い始めているために、今問題になっているディープステイト・ネオコン、グローバリストたちが暗躍していると思います。無宗教の人たちを暗示にかけ、洗脳して更に無神論、無宗教の世界を広げようとしています。それに一番協力しているのが大手メディアであり日教組でしょう。

宗教を扱うのは、何か事件性が有ったりするときだけで、学校教育も洗脳機関としては大きく、宗教の基礎的なことも扱わず探求しようとせず、目に見えにくい世界を無視させるような教育をしています。

諸悪の根源は、何かというと、見えにくいものを見ないようにさせていること、深く考えさせないことです。見えにくい最大のものは、何かというと、神仏であり、創造主です。その崇高で偉大なる、我々の親ともいえる存在、全宇宙の創造主です。

前にも述べましたが、この創造主を感じる方法はあります。

全てはフラクタル、全ては自己相似性があるからです。

私たちの魂も創造されたのなら、私たちの心の中にも創造主の願い、その祈りが含まれているはずです。全人類、宇宙人ですら創造主から見れば我が子であり我が孫たちです。いくら人種や考え方が違っても、努力しなくても我が子や孫のように見て考えることは確実です。私が粘土から作った器でも同じです。人々に喜ばれお役に立つことを願っています。土くれで作られた器より劣るということは絶対にありません。間違いなく、私たちの心の中には、その創造主の願いがあります。

確かイエス・キリストも言われています。

「隣人を愛せよ、汝の敵をも愛せよ、主なる神を愛せよ」

何故、愛さなければならないのか、親と子の関係だからでしょう。

兄弟の関係だからでしょう。

祈りは神に通じるとも言われますが、子の願いを聞こうとしない親が居ないことと同じです。私たちの祈りが、神の祈りと波長が合うなら、おそらく、雷の発生原因と同じだと思う。天と地の両方に、その因子が必要です。過去、歴史上に様々な奇跡と言えるものが残っているのは、おそらく、その思いにおける純粋さが神の願いと導通したために起きていることでしょう。

ただ、堕天使の話も有ります。神格を持ったような天使が神に嫉妬して地獄に落ちたような存在も目に見えない世界に居て、同じ波長を出している人間に影響を与え悪事をやっているのも居ると考えられます。

そのような両極端でなくても、私自身の経験としても不思議なことが少なからずありました。あの世は、天国が基本ですが、仙人や天狗の世界、妖怪の世界もあり、悪霊や悪魔もいて見えない世界からこの目に見える世界で同じ様な波長を出している人に影響を与えているのです。

昔、ユリ・ゲラーブームの時、それを信じ念力とか透視力とかやっていた時期が有りました。そのことを信じ無心に取り組むと、現実に奇跡のようなことも起きました。トランプのカード当てで4種類を当てる訓練をしていると当たる確率が大きく上がっていきました。ある時、友人宅のカードを使い自分では全く触らずに当てていくと、その時には全部言い当てて数字まで全部当てることができました。

今思えば不思議で、本当にあったことだろうかと思いますが、その翌日、そのことを思い返しているとある思いが浮かんできました。今思えば潜在意識からの声だったのでしょうが、自分が思ったことのように錯覚していました。「そのような凄さばかりでなく、素晴らしさに心を向けるべきだ」といった内容のことが、心に浮かんできたのです。確かにそうだなと思い、それ以後、生きるのに忙しくもあり、そのようなことは辞めてしまいました。

念力に関しても同じようなことが有りました。スプーンを試しに曲げようとしたら、スプーンではなくてズボンのファスナーの金具がくるりと円を描くように曲がりました。その時も思わされたのですが、どうやらこの方向は違っているのだろうと感じました。

当時は、意味不明でしたが、様々な書籍を読んで学んでいくうちに、あの世、彼岸、霊界なるものが存在し、当然、神なる存在も在り、この世は仮の世界で、修業のために魂が肉体に宿り心を磨くためにあることを知りました。心は、本来の世界と密接につながり、守護霊から創造主たる神までつながっている。当然、勘違いした悪霊や悪魔のような存在

表面意識・潜在意識

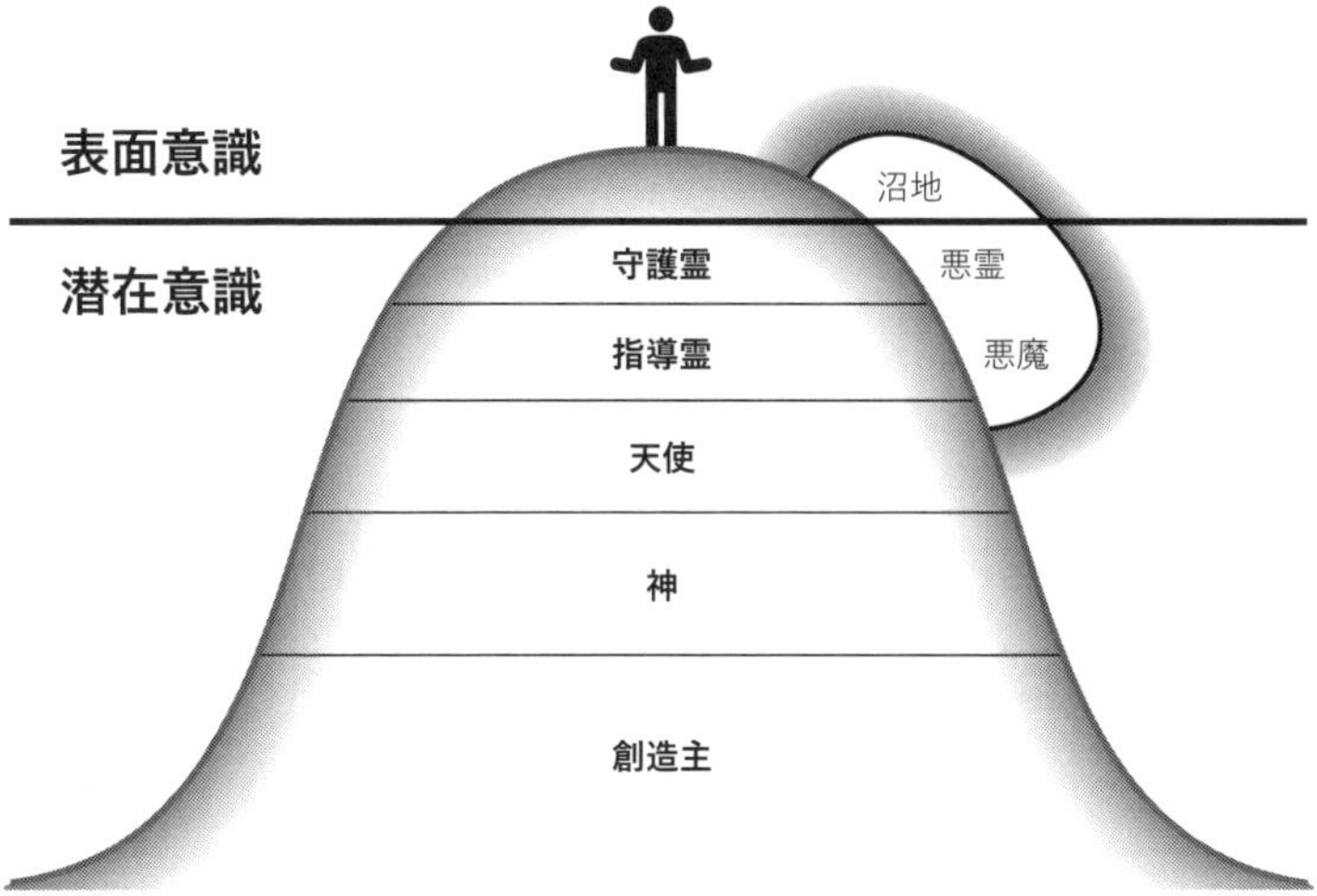

も居れば、力自慢の天狗たちも居ます。

自分自身の過去を振り返ってみても、どうやら悪霊の影響を受けていたと考えるしかない時も多々ありました。反省もしているつもりですが、思い返しても取り消すことは出来ないけれど、教訓として、同じようなことが有れば抑止する力にはなっているでしょう。

このような心境になれたのは「信仰」ということを学んだおかげです。

結局は、客観的な視点、神なる視点から考え、思いを修正するしかないのだけれど、確かに難しいことです。どちらにせよ、立脚点は、あの世が有り、死後にも自分という存在が有り、全人類、宇宙人たちですら我が子と認識している神がおられるということ。信仰心がどれほど不可欠なものであるのか、私自身、いまだ至っては居ませんが、これが無ければ、客観的に物事を考え修正することはできないでしょう。この図は、今現在の私が認識している心の構造です。

表面意識と潜在意識とがあり、ある意味一体となって人生行路を渡っているようです。ただ、この中の潜在意識の段階の表現ですが、この比率は圧倒的に下に行くほど大きくて図にはできないレベルと思われます。結局は、全宇宙に広がって私たちの魂もその一部としてつながっているのではないでしょうか。

もし、私たちの表面意識が悪なる道を選んで沼地に踏み込むならば、当然ながら悪霊たちの指導を受けるようになるのでしょう。そして、死後に行くべき世界は地獄であり、影響を与えている者たちと同じ世界なのでしょう。天狗や仙人という世界も有って、こちらは地獄というわけでは無いけれど、もう少し足を踏み外せば悪霊や悪魔たちの指導を受けるようになるようです。昔、私に起こった不思議な現象も天狗界の助力を受けていた可能性が大きいようです。誰もが潜在意識の影響を受けて生きており、認識できないまま守護霊や指導霊の声も聴きながら生きているようですが、油断して、自己中が過ぎるようになってくると、いつの間にか別のものが入り込んで指導してくれるようになるようです。そうすると沼地に引きずり込まれてしまいます。

そのために不可欠なのが「正しき心の探求」をし続ける姿勢です。

個人レベルでも国家レベルでも同じことが言えます。

そのためには、主なる神への信仰心が不可欠になります。権力を持ち立場が上がるにつれて不遜になり、どうしても沼地に足を踏み込みやすくなるようです。そして、国民も自己中が過ぎると深く物事を考えにくくなり、深い沼地に一緒に引きずり込まれていくのでしょう。

その沼地から勇気をもって出ることをしなければ、やがてどのようになるのか分かったものではありません。

見えないモノの追加

霊とか、あの世とか、神とか、信じない人は、同時に宇宙人とかＵＦＯも否定する傾向があります。私も過去、ＵＦＯらしきものを見たことは何度か有り、見間違いかと思うレベルでしたが宇宙人の存在は信じていました。

子供もたびたび見るらしく、呼べるかもしれないとまで言っています。友人たちもよく見るようでリアルな写真まで撮っています。ある講演会の会場の上空には、必ず数機の編隊が浮かんでいて、昼間１００機を超える編隊が上空にいたこともあります。このような現象は、お釈迦さんの時代、説法されていた霊鷲山の上空にも現れていたといいます。インカの地上絵でも有名ですが上空からしか認識できない地上絵を見ていた存在がいて、いろんな遺跡の中にも宇宙船としか見えないものも描かれています。探せばキリがありません。土器の中にも宇宙人らしき土偶も有ります。

宇宙人の存在は、この実際の宇宙規模からみても、高等生物が地球人以外に存在しないとは、とても言えるものではありません。この宇宙にどれだけの星が有るのか、砂浜の砂の数を数えようとは思わないのと同じく、今一度調べてみる気持ちも起きないほどの数らしい。人間がこの地球に生まれたのが、もし偶然だとすれば、偶然で高等生物が生まれるだろう星は、砂の数ほどあるでしょう。

仮に創造主がおられ、この地球にだけしか生命を創られなかったとすれば、それこそ、気まぐれで、なんでこれほどの数の星を創造する必要が有ったのか、あまりにも合理性が無いです。夜空に星空を美しく彩るためだけに星々を創られたのでしょうか。

それこそ科学的にどのような理性的な検証方法が有るか知らないが、思考停止することなく、考えることが出来るなら見えてくるでしょう。

しかし、ＵＦＯも堂々と姿を見せようとしません。そのために、見間違いだろうくらいに決めつけてしまうかもしれません。知り合いにこんな人も居た。若い時に山で新幹線のようなものが浮かんでいるのを見たけれど、怖くて誰にも話したことが無いといいます。葉巻型のＵＦＯで、おそらくプレアデスの宇宙船でしょうが、うちの息子が中学生の交換留学で中国の空港で見たものと同じようです。ＵＦＯ騒ぎがあり、空港が閉鎖されたことが有ります。

色んな目撃例が有り、思い出しても色々ある。愛媛の砥部焼で修業していた時にも、私は見られなかったけれど、作業中にパートの人たちとＵＦＯの話をしていた数日後だったと思いますが、畑の中に丸い球体のものが着陸して、そして再び浮かび上がり南の山の方に飛んで行ったといいます。数人が電話連絡で見たというので、私もバイクに乗って追いかけてみたけれどダメでした。

思い出せばもっとビックリする話が有ります。霊的なものが見える友人の女性二人と、もう一人の友人の女性とが個展会場で出会った時です。私が備前焼でスタートする時に、知り合いの大きな書店の二階が空いていたので最初の個展をさせていただきました。霊的な物が見える友人の二人に見えたのがグレイと言われている宇宙人です。後でその二人が報告してくれたけれど、とても驚いていた。

私は、その二人から話を聞いて、なるほどと思ってしまったのです。

その彼女とは、それが最後で、そのあと、すぐ東京に移動し結婚してほどなく亡くなったといいます。昔のことで彼女も若かったけれど、時々一緒に川下りや岩登りをしていたのですが、好奇心が強く変わった女性でした。

彼女も霊的なものが見えることもあるようで、ＵＦＯもよく見ると言っていました。

しかも、岡山のある山の中腹から見た時には、その操縦席の窓から中がのぞけるほどだったといいます。しかし、それほど驚いたということではなかったといいます。そんな話も聞いていたので、なるほどと思ってしまったのです。

なんで、こんなことを書いたかというと、くどいようだけれど、目に見えにくい、証明できにくいことの中に大切な情報が有るということです。

何故、宇宙人が地球に大昔から飛来しているのに、何故、公然と姿を見せないのか、その宇宙人たちとは何者なのか、考えれば複数の考え方が出てきます。最近ネットでも盛んに出てきますが、転生輪廻も宇宙規模でなされており、縁が深い同朋達が見に来ている可能性もあります。基本、侵略目的でないことは確かだけれど、アメリカなどで多発している様々な宇宙人がらみの事件を考えると、良い宇宙人だけでもなさそうです。宇宙人にも地球人にとって良い子、悪い子、普通の子があるということでしょう。

大切なことは見えにくいという普遍的なことを感じていただきたくて、いまだ公然と議論されにくいことを引っ張り出してきました。

おわりに

このフラクタル陰陽学のような考え方で訴えたいのは「複眼（両目）で見る」ということですが、意識の中では三点での考え方になります。

その三点とは、客観性の「自と他と全体」（ｐ57）の視点であり、論理性の５Ｗ２Ｈ、「行いと思いと世界」（ｐ15、ｐ61、ｐ79）の視点です。これらは、空間的なヨコ軸の視点と、時間的なタテ軸の見方です。

この時空の十字架の光を当てなければこの宇宙世界の秘密を垣間見ることは難しいでしょう。

強引な言い方になりますが、全てフラクタルであり、左脳と右脳と前頭葉の視点とも関わって深く考えていることになるようです。

左脳（右目）は、「行い」、「結果」、「自己」など現実に見えやすいもの、右脳（左目）は、「思い」、「原因」、「他者」など見えにくいものを中心にします。両目で見るということは、「世界」を正しく見ることにつながるようです。前頭葉で考えようとしているのかもしれません。

５Ｗ２Ｈの図でもわかるように、見て、思って、行動して、結果が出るという流れの中で、どれも大切であり、どれを間違えても良い結果にはつながらないし、結果の反省が間違っていても次の良い循環につながりません。

中でも重要なのが「思い」です。思いは、設計図にも当たるでしょう。設計図に沿って全てが創造されます。

その思いの中心に在る価値観は愛です。愛の思いが素晴らしい設計図を描く原動力です。悪い愛は、自我から生まれ、奪う愛として世界をめぐり結果として経済を壊し世界を破壊します。

愛の教えは、イエスの教えの中にすでに愛の発展段階のようなものが説かれています。

そして、「主なる神を愛せよ」

「自分を愛するように隣人を愛せよ。汝の敵をも愛せよ」

要するに、究極に近い客観視を願われているのではないでしょうか。自我を離れ自分のみ良かれという思いから離れることの功徳を感じてほしい。与える愛の原点である神のごとく在ってほしい。間違えたなら反省して幸福になってほしい。

これが、全宇宙を支配している法則であり創造主の願いではないでしょうか。

全世界の人々が、神の心を心として生きようとハンドルを切るようになれば、世界は素晴らしくなっていくでしょう。

世界が与える愛の元に在ることを願って止みません。

〈著者紹介〉

玄明（げんめい）

1950年　愛媛県内子町に生まれる
1968年　東海銀行（現、三菱UFJ銀行）に入行
1970年　専門学校にてインテリアを学ぶ
1980年　砥部焼を学ぶ
1987年　備前焼を学び始める
1990年　陶芸の道を決意、前職を他社に譲渡。第2の人生のスタート
1991年　岡山県山陽町上仁保に穴窯を築窯し独立
1998年　賀陽町北に登り窯を築窯し移転
2000年　田部美術館「茶の湯の造形展」初出品初入選

フラクタルの森《もり》　玄明《げんめい》　陰陽学《いんようがく》

2023年8月31日　第1刷発行

著　者　　玄明
発行人　　久保田貴幸

発行元　　株式会社 幻冬舎メディアコンサルティング
〒151-0051　東京都渋谷区千駄ヶ谷4-9-7
電話　03-5411-6440（編集）

発売元　　株式会社 幻冬舎
〒151-0051　東京都渋谷区千駄ヶ谷4-9-7
電話　03-5411-6222（営業）

印刷・製本　中央精版印刷株式会社

検印廃止

ISBN 978-4-344-94530-2 C0095
幻冬舎メディアコンサルティングＨＰ
https://www.gentosha-mc.com/